KB195920

코로나19의 과학

전문가의 20가지 이야기

코로나19의 과학

전문가의 20가지 이야기

서울의대 코로나19 과학위원회

새로운사람들

〈축사〉

코로나19 과학위원회의 노고에 감사하며 출간을 축하합니다

신찬수
서울대학교 의과대학장

2020년은 현존 인구의 대부분이 난생 처음 경험했던 팬데믹의 해로 역사에 기록될 것입니다. 수천 년간 대부분의 인간 질병을 일으키는 원인이었던 감염병은 20세기에 들어서며 치료와 예방이 가능해지면서 막을 내리는 듯했지만, 코로나19라는 새로운 감염병이 전 세계를 휩쓸며 다시금 의학의 중심에 자리매김하였습니다.

팬데믹의 문턱에서 의학 분야의 최고 전문가들이 모여 있는 서울대학교 의과대학이 자신의 역할을 고민하며 설립한 것이 '서울의대 코로나19 과학위원회'입니다.

과학위원회의 주요 활동은 의과대학 홈페이지를 통해 국내외 통계와 전문가 의견을 제공한 것을 비롯하여, 김명자 서울국제포럼 회장, 국제백신연구소 제롬 김 사무총장, 미국 질병통제센터 제이

버틀러 감염병 담당 부국장 등 국내외 전문가들을 초빙한 7차례의 웨비나를 개최하고, 전문가 기고문과 함께 국내외의 최신 연구 동향을 소개하는 20여 회의 뉴스레터를 발간한 것이었습니다.

이 중에 코로나 방역과 치료, 연구개발의 최전선에서 활동한 교내외 전문가들의 생생한 목소리를 담은 뉴스레터 기고문을 모아 『코로나19의 과학-전문가의 20가지 이야기』를 출간하게 된 것을 매우 기쁘게 생각합니다.

저자들은 의료 현장에서 코로나19 환자들을 직접 치료하는 감염내과 교수들, 일상생활 공간에서 예고 없이 등장하는 확진자들의 감염경로를 추적하는 역학자, 방역 정책 수립과정에 직접 관여한 보건의료 전문가, 백신과 치료제 개발에 직접 참여하는 전문가를 망라하였으며, 코로나19 사태로 인한 방역의 과정에서 생기는 법적인 문제, 팬데믹 상황에서 신속히 진행된 백신 임상시험에서 대두된 윤리적 문제, 급작스럽게 전환된 비대면 교육으로 인한 의학교육의 현황과 미래를 고민하는 다학제 전문가들입니다.

이런 다양한 시선은 코로나19가 우리의 삶을 어떻게 바꿀 것인가에 대해 우려하고 고민하는 독자들에게 독특한 통찰을 제공하리라 믿습니다. 탁월한 리더십으로 과학위원회를 이끈 강대희 과학위원회 위원장과 위원들의 노고를 치하하며, 지난 1년 반의 활동을 갈무리하는 출간을 축하합니다. 아울러 실무를 맡아 수고한 예방의학교실 신애선 교수와 예방의학교실 전공의들의 노고에도 감사의 마음을 전합니다.

〈발간사〉

코로나19에 대응하여 서울의대와 전문가들이 뜻을 모으다

강대희

서울의대 코로나19 과학위원회 위원장

2020년 1월 우한에서 시작된 코로나19 감염은 3월 세계보건기구의 팬데믹 선언으로 이어지면서 지난 18개월 동안 우리의 모든 일상을 변화시켰다.

바이러스의 특성, 전파 경로, 감염력, 임상 경과도 잘 모르는 상태에서 불과 1년 만에 백신 개발에 성공하여 이제 어느 정도 코로나와의 전쟁에서 승기를 잡아가고 있는 것 같지만 이번 코로나 팬데믹은 의학은 물론이고 인류 사회 전 분야와 사람들의 생각까지도 바꾸어 놓은 근현대 문명사의 대전환을 가져온 사건으로 평가될 것이다.

2021년 6월 초 현재 전 세계적으로 약 1억 7천만 명의 확진자와 3백 5십만 명의 희생자를 낳았고 우리나라에서도 14만 여 명의 확진자와 약 2천 명의 사망자가 발생하였다.

2020년 2월 대구 경북지역을 중심으로 하루에 수백 명이 코로나19에 감염되고 있는 시점에서, 코로나19의 역학적 특성(시간, 장소, 사람)은 물론이고 질병에 대한 임상적 특성(증상빈도, 임상경과, 치료법)에 대한 과학적인 증거가 없어 환자 치료에 관여하는 감염내과 의사, 현장에서 고생하는 역학조사관은 물론 일반 국민들의 불안이 가중되고 있었다.

이런 와중에 서울대학교 의과대학은 국가의 기간 의료교육기관으로서 사회적 책무를 다하기 위해 2020년 3월 31일 서울대학교 의과대학 코로나19 과학위원회를 만들었다.

서울대학교 의과대학은 1899년 설립된 우리나라 최초의 근대식 의학교육기관인 의학교를 뿌리로 한다. 의학교의 전통을 이어받은 서울대학교 의과대학은 국가가 필요로 하는 의사의 양성과 새로운 의학 지식의 발견을 통한 의학 발전, 국민건강 증진을 위한 의료 서비스 제공과 사회봉사를 목표로 한다.

이런 목표를 달성하기 위해 서울의대 코로나19 과학위원회는 코로나19의 역학, 임상 특성, 치료제와 백신 개발 등에 대한 과학적 지식을 전문가들과 일반 국민에게 알리기 위해서 발족되었다.

감염내과학, 역학, 약학, 통계학 등 학내외 전문가 30명을 위촉하여 코로나 발생 통계와 역학에 대한 정보는 물론 치료제 신약 개발 등 중요한 코로나19 관련 내용을 홈페이지를 통해서 업데이트하였고, 시기별로 중요한 이슈에 대한 칼럼과 코로나19 관련 정보를 뉴스레터에 담아 학내외 구성원들에게 정기적으로 제공하였다.

이 책은 뉴스레터에 실린 칼럼을 모으고 그동안의 코로나19 과학위원회의 활동 경과를 정리하여 발간하였다. 칼럼 집필에 참여한 각 분야의 전문가들은 코로나19 발생의 역학적 특성, 치료제 및 백신 개발에 대한 현황, 코로나의 임상적 특성, 코로나 방역의 법제도적 제안 등 다양한 분야의 현안들에 대해 유익한 전문가 의견을 가능한 두루 포함하려고 노력하였다.

이 책의 출판은 전적으로 서울의대 예방의학교실 전공의 최윤정 박사의 노고의 결과이다. 어떤 내용을 담을 것인지, 어떤 분에게 원고를 의뢰할 것인지, 그리고 원고 수합과 뉴스레터 작성까지 모든 과정에서 최 박사의 노력 없이는 불가능한 작업이었다.

원광대학교 산본병원 유방외과의 박수진 교수에게도 칼럼 내용과 어울리는 훌륭한 그림과 이미지를 창작해 주신 데 대해 깊이 감사드린다.

위원회의 발족을 흔쾌히 허락해주신 서울의대 신찬수 학장에게도 감사드리고, 코로나19 과학위원회 실무위원장으로 헌신적인 역할을 한 서울의대 예방의학교실 신애선 교수에게도 감사의 뜻을 전한다. 코로나19 과학위원회의 위원들과 실무위원, 그리고 무엇보다도 귀중한 원고를 보내준 위원님들에게 깊은 감사의 말씀을 전한다.

코로나19 백신 접종 덕분에 확진자와 사망자가 모두 줄어들고 있어 다행이다. 하지만 아직도 우리는 코로나19의 터널 속에서 완전히 빠져나오지는 못하고 있다.

과연 코로나19가 인류에게 전달하려고 한 메시지는 무엇일까? 6년 전 메르스로 인해 얻은 경험으로 코로나19 방역을 잘해왔다고 자평해도 되는 것일까? 다른 종류의 신종 감염병이 언제 어떤 형태로 다시 올 것인가?

이번 코로나19 팬데믹은 우리 모두에게 코로나19와 함께 살아야 하는 미래를 어떻게 준비해야 할지에 대한 큰 숙제를 남겨 놓았다.

모쪼록 이 책이 코로나19 팬데믹을 이해하는 데 조금이라도 보탬이 되기를 희망한다.

〈차례〉

시론

코로나19 방역

코로나19 치료

코로나19를 둘러싼 법/윤리/교육

부록

시론

- 코로나19와 함께 살아가기 – 김홍빈
- 코로나19, 유래없는 경험 – 김성민
- 코로나는 팬데믹(pandemic)이 아니라 신데믹(syndemic)이다 – 권준수
- 코비드 팬데믹, 우리에게 미친 심리학적 영향 – 이나미

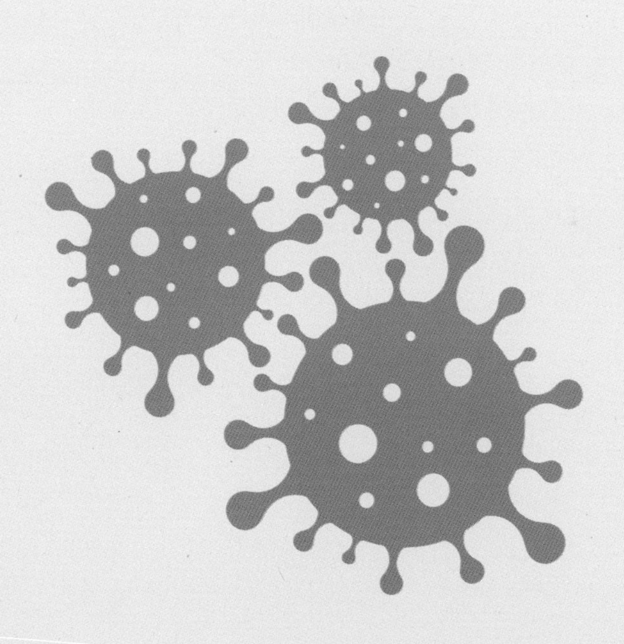

코로나19와 함께 살아가기

김홍빈

서울의대 내과학 교수

코로나19가 나타난 지 이제 6개월여가 지났고 전 세계적으로는 1400만 명 가까이 감염되었으며, 이 중 60만 명 정도가 사망한 것으로 세계보건기구에서는 보고하고 있습니다. 지난 20세기 이후 우리 인류는 수많은 새로운 감염병을 경험하였지만, 일부의 감염질환은 사라지기도 하였고, 일부는 여전히 우리와 함께 살아가고 있습니다.

코로나19의 전 세계 유행이 앞으로 어떻게 진행될지는 아무도 알 수 없고, 우리가 어떻게 대처하느냐에 따라 결정될 가능성이 높습니다.

우리가 살고 있는 지구에 인류가 나타난 것은 기껏해야 20만 년(호모사피엔스) 전이지만 미생물은 수십억 년 전부터 존재하였습니다. 따라서 인간이 미생물과의 싸움에서 이기고, 코로나19가 종식될 것이라는 헛된 희망을 기대하기보다는, 어떻게 하면 코로나19와

〈The New travel〉

코로나 대유행 이후에도 코로나19와 함께 살아갈 가능성이 있는 상황에서 인류의 생활 방식을 어떻게 바꾸어야 할 지에 대해 논의한 글에 관한 그림이다. 여러 종류의 인수공통전염병이 인류 역사에서 출현하였으며, 코로나19 역시 그 중의 하나로 알려져 있다. 기온 상승 그래프 위에 지금까지 인수공통전염병의 매개로 알려진 동물들 및 코로나19의 매개 동물이라 알려진 '박쥐'를 표현하였으며, 미래로 나아가야 하는 인간이 어떤 선택을 할 지 고민하는 모습을 표현하였다.

함께 살아가면서 피해를 줄일 수 있을지 고민하는 것이 더 현명하지 않을까 생각합니다.

제어하기 쉽지 않은 감염질환 코로나19

코로나19가 제어하기 쉽지 않은 감염질환이라는 사실은 지금까지 밝혀진 다음과 같은 연구결과들 때문입니다.

기초감염재생산수(basic reproduction number, R_0)는 한 사람의 감염자가 평균 몇 명에게 옮길 수 있는지를 나타내는 지표입니다. 홍역의 경우 12~18, 계절 인플루엔자의 경우 0.9~2.1, 메르스(MERS-CoV)의 경우 0.3~0.8로 알려져 있고, 코로나19의 경우에는 자료에 따라 차이가 있지만, 1.4~3.9 정도에 이르는 것으로 보고되고 있습니다.

다시 말해 매년 겪는 인플루엔자보다 다른 사람에게 쉽게 전염되고, 1명의 감염자가 2~3명에게 옮길 수 있다는 것입니다.

또한, 남들에게 바이러스를 옮기는 시기가 본격적으로 증상이 나타나기 전, 즉 48시간 전부터라고 알려져 있기 때문에, 서로 누가 감염되었는지도 모르는 상태에서 이미 바이러스가 다른 사람들에게 퍼져 나가게 됩니다.

따라서 증상이 나타난 후 조심하는 것만으로는 다른 사람에게 옮기는 것을 막을 수 없습니다. 더구나 감염된 환자의 호흡기에서 배출되는 바이러스의 양이 감염 초기에 아주 많고 시간이 지날수록 감소하기 때문에, 증상이 나타나기 전 또는 몸이 좋지 않다고 느끼는 시기에 이미 상당량의 바이러스를 남에게 전달할 수 있습니다.

외국에서 혈청검사로 확인한 감염자의 숫자가 호흡기 검체 유전자 검사로 확인한 숫자와 비교할 때 10배 가까이 많다는 사실은, 자기도 걸린 줄 모르는 채 지나가는 무증상 또는 경미한 환자의 숫자가 생각보다 훨씬 많다는 것을 의미합니다. 따라서 유전자 검사로 확인된 환자의 숫자는 빙산의 일부에 불과합니다.

더욱이 증상이 경미하거나 무증상의 경우라도 배출되는 바이러스의 양은 차이가 없기 때문에, 이를 차단하는 것은 거의 불가능하다고 할 수 있습니다.

환자가 호소하는 증상만으로도 감기, 인플루엔자와 같은 호흡기 바이러스 감염, 그리고 코로나19를 쉽게 구별할 수 있다면 좋겠지만, 안타깝게도 증상만으로는 이와 같은 감염질환을 감별하기 쉽지 않습니다. 그러므로 올 가을이나 겨울 매년 유행하는 계절 인플루엔자나 다른 호흡기 감염병으로 환자가 생기면, 코로나19와 구별할 수가 없어서 더 큰 혼란이 오지 않을까 걱정하는 것은 이런 이유 때문입니다.

당장의 우리 생활부터 조금씩 바꾸어야

위와 같은 여러 가지 연구결과를 고려한다면, 우리가 코로나19와의 싸움에서 이기거나 종식시키기는 어렵습니다. 그렇기 때문에 코로나19 이후의 삶이 아니라 당장의 우리 생활부터 조금씩 바꾸어 나가야 합니다.

이미 지난 6개월여의 경험에서 우리는 많은 것을 배웠습니다. 내가 감염되었다는 사실을 모르고 다른 사람에게 바이러스를 옮길 수 있기 때문에, 마스크를 착용하고 손을 자주 씻고 기침할 때 호흡기 예절을 지키는 것이 중요합니다. 이러한 우리 스스로의 노력 덕분에 예년과 달리 계절 인플루엔자의 유행도 빨리 끝났고, 다른 호흡기 바이러스 감염의 유행도 거의 없었으며, 다양한 감염질환도 확연하게 줄었다고 합니다.

미국이나 유럽에서는 문화의 차이 등으로 마스크 착용에 대한 거부감도 있었지만, 의도하지 않은 자연적 실험이 되면서 미국에서는 마스크 착용 정책을 본격적으로 시행한 후 지역사회에서는 물론 심지어 의료기관 근무자들에게서도 코로나19 감염이 상당 부분 줄어든 것으로 보고하고 있습니다.

하지만, 작은 침방울(비말)로 다른 사람에게 전염된다고 알려져 있는 코로나19이지만, 제대로 환기되지 않는 폐쇄된 공간에 많은 사람이 모여 다양한 사회활동을 한다면 1~2미터보다 멀리 떨어져 있는 사람에게도 에어로졸 형태로 바이러스가 퍼져 나가 감염이 될 수 있습니다. 따라서 세계보건기구에서 권고하는 것처럼 소위 "3C-Crowded places, Close contact settings, Confined & enclosed spaces"를 피하려는 노력이 꼭 필요합니다.

코로나19 환자가 늘어나면 코로나19에 감염되지 않았지만 만성질환 등으로 고생하는 다른 사람들에게도 의도하지 않은 2차 피해가 생길 수 있습니다. 이미 우리나라에서도 대구-경북 지역의 경우 예년과 비교하여 올해 초 사망자의 숫자가 늘어났다고 하며, 미국에서도 유사한 보고가 잇따르고 있습니다.

뿐만 아니라 코로나19 환자가 급증하면 이들을 치료할 의료자원이나 인력이 부족해서 제대로 치료받지 못하고 돌아가시거나 중증의 경과를 밟는다고 알려진 고령자 등의 치료에 집중하기 어렵습니다.

치료제와 백신이 이미 개발되어 사용되고 있는 계절 인플루엔자도 유행하면 매년 우리나라에서도 1,000명 전후의 초과 사망자가 있다고 알려져 있습니다. 따라서 코로나19의 경우도 백신이 개발되고 치료제가 상용화되면, 지금 겪고 있는 모든 문제가 해결될 것이라는 장밋빛 희망이 틀릴 수도 있습니다.

결국 앞서 언급한 코로나19의 특성을 고려하여 다양한 영역에서 "몸은 멀리, 마음은 더 가까이!"라는 생활 속 거리두기를 실천하지 않는다면, 코로나19는 끝나지 않고 우리는 지금과 같은 어려움을 계속 겪어야 할지도 모릅니다.

요기 베라의 명언처럼 "끝날 때까지는 끝난 것이 아닙니다(The game ain't over till it's over)."

(2020. 8. 26)

코로나19, 유례 없는 경험

김성민
충남의대 감염내과 교수

이 글은 전문가로서 적는 것이 아니다. 전문가라면 본질을 꿰뚫고 있고, 전망과 대책을 제시할 수 있어야 한다. 하지만 코로나19는 유례가 없는 감염병이어서 당하는 입장에서 황망하기만 하고, 앞날을 생각해도 막막할 뿐이다. 그래서 개인적인, 감염병에 대해 그리 문외한은 아니지만 코로나19에 대해선 깊이 알지 못하는 사람의, 지금까지의 경험을 더듬더듬 정리해본다.

2020년 1월 말 베트남에 있었다.

코로나19(당시 우한폐렴이라 불리던)의 발생 환자수가 중국 당국의 보고로 2,000명을 넘길 시기였다. 체류 2일째 되던 날, 베트남은 전격적으로 중국 국경을 봉쇄하고 이미 들어온 중국 관광객은 이틀 내에 출국하라고 했다. 대단하다 싶었다. 베트남에게 중국은 최대 교역국이고 가장 많은 관광객이 오는 나라인데.

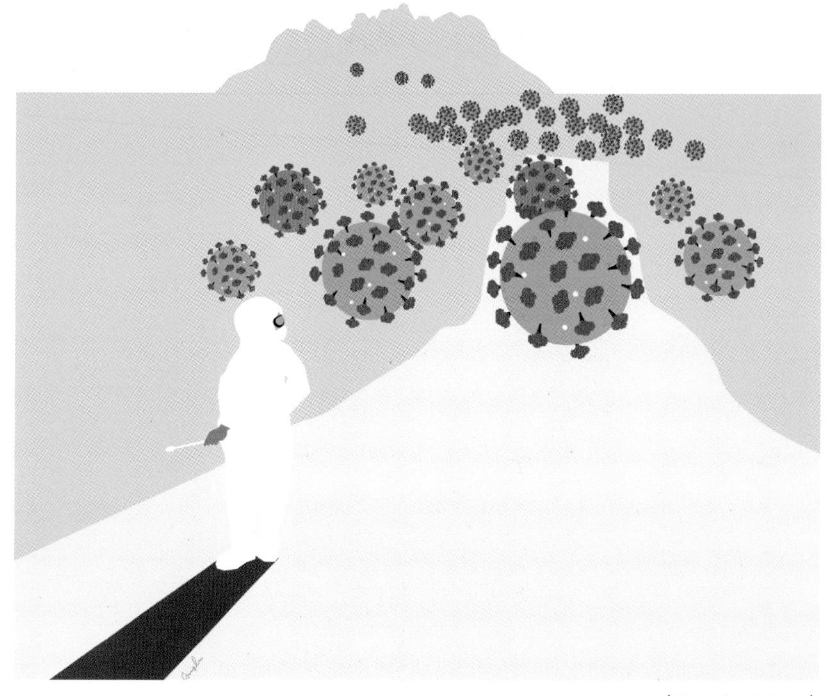

〈The first time〉

처음 맞는 코로나19에 대한 감염병 의사로서의 고민을 담은 글에 대한 그림으로, 그림의 모티브는 간송미술관 전시에서 본 운용의 '협롱채춘' 에서 얻었다. 낫을 들고 혼자 서 있지만, 허리를 세우고 바른 자세로 먼 곳을 가늠하고 있는 그림 속 여인의 뒷모습이 처음 맞는 코로나를 맞이하는 의료진의 모습과 닮았다는 생각이 들었다. 도움 받기 어려운 사막에서 면봉 하나 손에 들고 몰려 오는 코로나를 맞이하고 있지만, 뒤로 물러서지 못하고 책임감을 가지고 해결책을 찾아야 하는 의료진의 모습 뒤로 근심의 그림자가 길게 드리워져 있다.

우리나라 항공기가 하노이에 착륙하지 못하고 회항한 것을 두고 많은 국민들이 분노했지만, 중국에 대한 베트남의 조치에 비하면 사실 약과였다. 덕분인지 아직 베트남에는 350여 명 코로나19 확진자만 발생했고 사망자가 없다. 인구는 우리나라의 2배인데.

역시 2020년 1월, 우한에서 온 13세 학생이 고열로 응급실에 왔다. 다른 열의 원인을 찾을 수 없었다. 코로나19 검사를 요청했지만 방역당국은 호흡기 증상이 없기 때문에 대상이 아니라고 했다. 여러 차례 항의를 한 후 겨우 검사를 받았고 다행히 인플루엔자로 진단했지만, 지금 돌이켜보면 대단히 위험한 검사 시행 기준이었다. 무증상 전파가 가능하냐를 두고도 말이 많았다. 이는 검역 대상을 정하는 데 중요한 문제였다. 결국 우리나라 초기 검역은 증상이 있는 사람에 국한되었고 이는 후폭풍을 몰고 왔다.

유례가 없는 감염병이라 초기에는 과하게 대응하는 것이 낫지 않았나 싶다. 역사적으로 감염병을 잘 몰랐을 때 효과적으로 적용했던 방역 조치가 Quarantine이다. 증상에 상관없이 입국(항)자들을 일정 기간 격리시키는 것이다. 이와 연장선상의 태도로 접근했으면 어땠을까? 방역은 더 일찍, 좀 과하게.

어느 음식점에서 본 전광판 문구가 인상 깊었다.

"안전 앞에서는 겸손해야 한다."

의학 용어를 사용하진 않았지만 분명 코로나19에 대한 말이었을 것이다. 방역엔 겸손해야 한다. 특히 잘 모르는 병에 대해선.

코로나19 유행 초기에 검역과 검사를 광범위하게 적용하지 못했던 이유는 아마도 방역인력이 부족해서라 생각한다. 그래서 그런 생각을 해보았다. 방역 예비군을 만들자. 군·경찰 중에서도 방역에 참여할 수 있는 인원을 교육시켜 두면 어떨까? 일반인 중에서도 자원자들을 모집해서 교육해 두면 어떨까? 능동 감시, 자가 격리에 대한 방역 업무는 충분히 해낼 수 있을 텐데. 검체 수송 등 좀 어려운 업무도 교육을 잘 받으면 충분히 감당할 수 있을 것이다.

젊은 사람은 중증으로 가지 않으니까 검사를 바로 받지 말고 3~4일 지켜보다가 받으라는 권고도 있었고, 확진이 되어도 입원하지 말고 자택 격리를 하자는 제안이 있었다. 개인적으론 검사도 빨리하고, 입원시설이 모자라면 생활치료센터 등에 시설 격리를 하는 것이 낫다고 생각했다. 젊은 사람들은 집 안에서만 오래 지내기 힘들어 돌아다니게 마련이고, 집에 있더라도 나이가 많은 가족 등 위험군에게 전파시킬 가능성이 있기 때문이다.

진단 역량이나 격리 시설 등 여력이 정 안 된다면 모르겠지만, 여력이 조금이라도 있으면, 방역을 현실에 맞추어 제한적으로 하지 말고, 역량을 키워가는 방향으로 노력하는 것이 바람직하다고 생각했다.

집단 면역을 키우자는 제안도 있었고 스웨덴처럼 실제 시도해 본 나라도 있다. 유행이 길어지고 경제 침체, 개학 연기 등 사회적 부작용이 심각해지면, 차단 관리를 지속하기 힘들 것이라는 우려 때문이리라. 집단 면역으로 전환할 경우 예상 감염자와 사망자 수를 계산해보니 끔찍했다. 우리나라 인구 60%에 집단 면역을 키우려면 3천만 명이 감염되어야 하고, 사망률을 1%로만 산정해도 30만 명의 사망자가 예상된다. 이를 감당할 수 있을 것인가?

의료비용도 그렇고, 사회적 정서도 그렇고. 대신 마스크 착용, 손

위생, 거리두기 등 개인위생 등을 강화하면 R_0 값이 떨어지니, 감염 종식에 필요한 집단 면역($1-1/R_0$)을 줄일 수 있지 않을까 생각하였다. 스웨덴의 집단면역 시도는 성공적이지 않은 것 같다.

그런데 벌써 올해의 절반을 넘기며 유행이 종식되지 않고 있고, 또 곧 2차 대유행이 있을지도 모른다는 전망도 있으니, 정말 무슨 수를 내야 하나 걱정이 크다. 코로나 이후의 삶을 많이들 논하고 있는데, 패권 국가의 변화, 자본주의의 실패 등 거대 담론만 주제로 삼고 있어 실제 뭘 해야 할지 모르겠다. 제대로 된 치료약과 백신이 아직 나오지 않고 있으니 공학적으로 접근해 봐야 하나? 얇고 값싼 음압 패널을 대량 생산해서, 집집마다, 차량마다 창문에 설치하면 어떨까? 쉽지 않은 일일 것이다.

그렇다면 정말 희생을 무릅쓰고 집단 면역을 키우는 쪽으로 방향을 틀어야 하나? 기획 관리된 집단 면역은 어떨까? 위험이 낮은 사람들만 모아서 같은 날 동시에 바이러스에 노출시키고 일정 기간 격리한다면? 이런 소설 같은 상상도 해본다.

그 사이에 의료진은 지쳐 가고 있다. 또 그 의료진에 대한 보상이 제대로 없어 불만이 터져 나오고 있다. 자원봉사자에게는 보상이 있지만, 원래 근무하던 병원의 의료진은 환자 때문에 가장 많이 시달린 사람들인데도 불구하고 보상이 없다고 하니, 거 참. 사실 이들이 코로나19 극복에 있어 가장 영웅적인 역할을 감당한 이들이다. 상식에 맞게 뭔가 바뀌야 하지 않을까?

코로나19 유행의 최전선에 서 있는 감염 전문의들도 문제이다. 수가 턱없이 부족하다. 우리나라 의료체계 하에서 감염내과 전문의는 병원 수익에 도움이 안 되기 때문에 상대적으로 근무 조건이 좋지 않다. 감염 관리가 강조되면서 할 일은 많아졌지만, 보상에는 열외다. 감염관리의사제도가 있지만 현실적인 감염내과 전문의 육성 동력이 되지 못한다. 그런 와중에 코로나19로 시달리고 있으니. 앞으로 더 감염내과 전문의 지원자가 줄지 않을까 걱정이다.

그래도 코로나19가 빚어낸 몇 가지 쾌거들이 있다. 진단법이 우리나라에서 빨리 개발되어 국내 방역에 큰 도움이 되었을 뿐 아니라 외국 여러 나라에서도 표준 진단법으로 사용되고 있다. Drive-through 검사 시스템이 우리나라에서 시작되어 세계적으로 전파되었다. 또한 질병관리본부가 청으로 승격하게 되었다(처나 부가 되면 더 좋을 텐데).

생소한 바이러스 코로나19에 대항하는 이 싸움이 언제 끝날지 모르겠다. 빨리 효과적인 백신이 개발되어 환자 발생이 종식되고 사회가 안정되면 좋겠다. 선별진료소도 철거하고 병원이 정상 운영이 되면 좋겠다.

어느 날 코로나19 종식 선언을 할 수 있게 되더라도 아마 그 모습 그대로 이전의 삶으로 회귀하기는 불가능할 것이다. 코로나19가 언제 다시 모습을 드러낼지 모르고, 또 다른 유례없는 감염병이 찾아올 수도 있으니.

이를 대비한 생활 변화가, 사회적인 구조 개선이, 또 새로운 의료 시스템의 구축이 필요하다. 코로나19에 맞선 전투와 더불어, 코로나 이후의 삶에 대한 진지하고도 구체적인 고민과 논의를 시작해야 할 때이다.

(2020. 7. 8)

코로나는 팬데믹(pandemic)이 아니라 신데믹(syndemic)이다

권준수

서울의대 정신과학 교수

코로나19 사태가 장기화됨에 따라 '코로나 블루'라는 정신증상을 호소하는 사람이 많아졌다.

처음에는 그러려니 하고 지냈지만, 지속적으로 사회생활이 제한되고, 인간관계를 맺지 못하는 생활이 지속되자 의욕상실, 우울, 짜증, 불안뿐만 아니라 힘이 없고 무기력하고 무의미, 무감동, 무가치감 등을 호소하는 사람이 점차 많아지고 있다.

소위 '번아웃 증후군'의 증상을 보이고 있다. 스스로 할 수 있는 게 없다는 패배감, 열심히 해도 바뀔 수 없다는 냉소적 태도, 모든 것을 그만두고 싶다는 허무감으로 빠지게 된다.

'번아웃 증후군'의 확산

한때 K-방역이라고 극찬을 받고 모든 나라들이 한국을 본보기로

〈Back to the roots 〉

코로나19의 영향을 받아 삶의 여러 부분이 약해진 사람들을 시들어버린 식물의 잎과 가늘어진 뿌리로 표현하였다. 잎이 노랗게 변한 식물을 다시 살리기 위해서는 뿌리를 잘 관리해주어야 한다. 코로나19로 힘들어진 사람들이 스스로를 잘 돌보기를 바라는 마음으로 약해진 식물의 뿌리에 물을 주었다.

삼아야 한다고 하여 많은 국민들이 자랑스러워했다. 성공적인 방역으로 금방이라도 코로나 팬데믹을 극복할 것 같은 분위기였지만, 벌써 1년 5개월 이상 지속되고 있는 이 사태가 앞으로 어떻게 진행될지 여전히 오리무중이다.

감염병의 게임 체인저는 결국 백신일 수밖에 없었음에도 불구하고, 치료제 개발에만 기대를 했던 오판도 문제지만, 알 수 없는 백신에 대한 루머로 인해 국민들은 무엇이 옳고 무엇이 그른지 정확한 사실도 파악하기 힘든 상황이 지속되고 있다. 이런 상황이 전 국민을 우울하고 무기력하게 만드는 요인이다.

사실 가벼운 정도의 우울이나 불안은 정상적인 반응이다. 하지만 일상생활을 해나가기 어려울 정도의 증상이 나타나면 병적인 증상일 수도 있다.

최근 국민건강보험 자료에 의하면 작년 한해 우울증으로 치료를 받은 사람이 100만명이 넘었다고 한다. 정신과 방문에 대한 낙인이 많이 줄어들기도 했지만 여전히 병원 방문을 꺼리는 것이 현실이다. 이런 점을 감안하면 증상의 정도는 차이는 있겠지만, 우리나라 인구의 약 400~500만 명 정도가 현재 우울증상을 보인다고 짐작할 수 있다. 심각한 상황이며 큰 사회적 문제가 되고 있다.

이런 상태가 지속이 되면 사회 전체의 활력이 감소하고, 생산성 저하가 계속되어 경제활동에도 큰 영향을 끼치게 된다. 안 그래도 소상공인들은 코로나로 인한 모임이 금지되어 상당한 손해를 보고 있는 상황에서 '번아웃' 되는 사회현상이 지속된다면 심각한 타격을 입을 것이다.

아이들의 발달 문제가 걱정스럽다

인간은 사회적 동물이라 사회생활을 하지 못할 경우 여러 문제들이 일어난다. 잘 드러나지는 않지만, 가장 문제가 될 소지가 많은 곳이 아이들의 발달 문제이다. 모두들 마스크를 쓰고 있어 말할 때 입모양을 볼 수가 없다. 언어 발달은 그냥 소리만으로 소통한다고 발달하지 않고, 소리와 더불어 발달을 위해 입모양도 중요한 자극이 된다. 따라서 현재의 코로나 상황이 아이들의 언어 발달에 어떤 문제를 가져 오는지 세심한 관찰과 연구가 필요하다.

또한 아이들은 또래들과의 어울림을 통해 사회화 과정을 경험하고 배우는 것인데, 요사이 오프라인에서 이러한 만남이 없어짐으로써 아이들의 사회화 과정에 심각한 문제를 야기할 수도 있을 것이다.

팬데믹과 신데믹

작년 9월 Lancet에 최근 코로나 팬데믹에 대해 '신데믹(syndemic)'이라는 용어를 사용해야 한다는 칼럼이 실린 적이 있다. 단순히 이 병이 바이러스에 의한 병으로 바이러스만 퇴치하면 된다는 주장이 잘못되었다는 것이다.

코로나 바이러스가 다른 질환과의 상호작용을 통해 인간에게 영향을 미치고, 경제적, 사회적인 수준에 따라 코로나로 인한 영향이 달라 이를 단순한 전염병으로만 치부할 수 없다는 논리다.

'신데믹'이라는 말은 1990년대 메릴 싱어(Merrill Singer)라는 의료 인류학자가 처음 사용하였는데, 생물학적 접근은 물론이고 사회적인 관점으로 접근해야 한다면서, 병의 예후나 경과가 사회경제적 수준에 따라 달라진다는 것이다.

코로나19도 노인, 흑인, 아시아인이나 소수민족 등이 더 큰 피해를 입게 된다. 따라서 단순한 전염병 퇴치의 관점에서 접근해서는 실패할 것이라는 전문가들의 의견을 귀담아 들을 필요가 있다. 약물이나 백신만으로 해결하기보다, 교육, 고용, 의식주, 환경 등등의 문제를 같이 해결하는 통합적 접근이 필요하다는 것이다.

여기에 더 나아가 인간의 감정, 행동, 생각과 사회에서의 적절한 소통 등이 필요하니, 코로나 사태는 단순한 전염병이라기보다 우리 사회의 전반적인 시스템을 검토하게 만들고 있다. 코로나로 인한 차별과 혐오, 그리고 양극화의 심화로 인한 디지털 접근의 차이 등이 단순한 팬데믹으로서의 코로나와 더불어 신데믹의 관점에서 코로나 사태를 볼 필요가 있다.

이제는 뉴노멀이 필요할 때

우리는 외부와의 소통을 통해 활력을 찾고 행복을 느끼기도 하지만 인간의 정신은 외부세계와의 소통만으로는 결코 완전하지 못하다. 의식보다 훨씬 크고 방대한 자신 내부의 무의식과 교류해야 하고, 무의식이 추구하는 방향이 오히려 자신이 진심으로 원하는 것인지도 모르는 일이다.

외부의 가치에 최우선을 두고 있었던 그동안의 가치체계가 앞으로는 각 개인의 무의식과 관련된 자신만의 가치체계가 우선이 될 것이다. 어떤 사람들은 자신의 무의식과 대면하기가 겁이 날 것이고, 어떤 사람들은 호기심으로 대할 것이다. 마주보기 힘든, 너무나 큰 고통이나 트라우마와 대면해야 하는 경우도 있을 것이다.

하지만, 이젠 이런 작업을 해야 한다.

이젠 과거로 돌아갈 수 없다.

새로운 기준으로 현재나 미래를 판단하는 소위 '뉴노멀'을 만들어야 할 때다. 가장 중요한 것은 우리 모두 이런 변화를 받아들이려는 자세가 중요하다. 빨리 코로나 사태를 진정시키고 다시 원래의 과거로 돌아가겠다는 단순한 생각만 한다면 향후의 변화에 대처하기 어려울 것이다.

코로나 감염이 '신데믹'이라고 하는 것처럼, 이번 사태를 계기로 우리 사회의 전반적인 모든 분야를 점검하고, 미래 사회를 향한 적극적인 대처가 필요할 것이다.

포스트 코로나 시대에 대한 논의가 활발하다. 하지만 포스트 코로나 시대가 언제 어떤 식으로 올 수 있을지 아무도 모른다. 현재 우리가 예측하고 있는 유일한 사실은 코로나 사태가 지속된다는 것이다. 그렇기 때문에 이런 상황을 받아들이고, 어떻게 앞으로 사회생활과 가정생활을 해나가고, 자신의 삶의 목표와 가치를 재정립할 것인가가 중요한 화두로 떠오른다.

'뉴노멀(New Normal)'은 저절로 오는 것이 아니다. 우리가 능동적으로 새로운 기준을 만들어 가야 하는 작업인 것이다.

포스트 코로나 시대의 전망

인간은 어떤 상황이 오더라도 다시 적응할 것이다. 지금은 코로나 바이러스에 의해 급격하게 기존 질서가 파괴되어 가는 상황이지만, 앞으로 이런 상황이 어떤 식으로든 정리되고 안정화되면 다시 우리는 새로운 사회에 대해 균형(equilibrium)을 형성하여 안정을 유지해나갈 것이다.

그것이 현재의 기준에 비춰볼 때 더 좋은 방향이든 또는 더 나쁜 방향이든 평형을 이루면 다시 조용히 사회는 돌아갈 것이다.

필자가 보기에는 포스트 코로나 시대에는 그동안 바깥으로만 향했던 정신 현상과 획일적인 사회적 가치에서 저마다 개인의 가치와 개인의 철학에 대한 관심과 폭을 좀더 넓힐 수 있는 방향으로 전개될 것이라고 생각한다.

서로 만나고 소통하고 직접적으로 감정을 교류하면서 살아온 지금까지의 인간사회는 새로운 변화에 직면하고 있다. 이럴 때일수록 우리는 자신의 내부에 좀 더 관심을 가지고, 그동안 너무 외부로만 향했던 정신 에너지의 방향을 바꾸어 볼 필요가 있다. 이것만이 앞으로 다가올 '뉴노멀'에 잘 적응할 수 있는 방법일 것이다.

(2021. 5. 26)

코비드 팬데믹, 우리에게 미친 심리학적 영향

이나미

서울의대 휴먼시스템의학과 교수

Si j'existe, c'est parce que j'ai horreur d'exister.

C'est moi, c'est moi du néant auquel j'aspire.

I exist, because I fear to exist.

I am the one who snatch myself from nothingness I aspire.

Sartre, La Nausée

이제 코비드라는 단어는 마스크처럼 일상의 한 부분이 되었다. 실시간으로 보고되는 코비드 관련 메시지는 가족의 소식보다 더 자주 우리를 찾는다. 고립된 사람들, 경제적 손실, 정신적 후유증, 미래 세대에 대한 부정적인 영향 등에 대한 뉴스와 논문이 쏟아져 나오고 있다. 우울, 불안, 불면을 호소하는 이들에 대한 소식은 이제 식상할 정도다.

그런 와중에도 사람들은 다시 코로나 이후의 삶을 준비하고 있다. 소비를 통해 고립감과 박탈감을 해소하는 이들, 팬데믹의 원인으로 지목되는 환경 문제에 대해 철저한 자세로 힘을 보태는 이들도 있다. 검역과 여행금지는 비행기와 다른 탈 것들이 내뿜는 탄소 배출량을 줄이게 했고 경제활동 통제 역시 소음, 수질오염, 자동차 공해 문제를 잠정적으로나마 멈추게 했다.

아쉽게도 의료 장구, 소독제, 마스크, 고무장갑 등의 사용 급증은 환경오염물질을 더 많이 배출했다.

지속가능한 산업, 환경 친화적 운송, 재활용 에너지와 수자원 재생에 관심을 가지고 개인과 기업문화 모두 변해야 한다. 특히 환경 친화적인 정책은 전 세계적으로 공조되어야 효과적이다.

단기적으로는 에너지 분야의 배출량이 7%, 농업생산이 환경에 미치는 부정적 영향이 2%가량 줄었지만, 장기적으로는 어떤 결과가 나올지는 예측하기 쉽지 않다.

팬데믹은 그동안의 물질지향주의, 자연환경에 대한 몰이해와 무책임함, 멀고 가까운 이웃의 운명이 어떻게 서로에게 긴밀하게 영향을 미치는지에 대해 직면을 하게 해 준다. 특히 새로운 것, 더 좋은 것, 더 많은 것을 지향하며 만족하지 못하는(discontent) 심리가 가져온 부정적인 결과중 하나가 팬데믹일 수 있지 않을까. 환경에 대한 고려 없는 환경 파괴가 새로운 인수공통 바이러스의 변종을 지속적으로 만들어낼 수도 있기 때문이다.

코비드 팬데믹으로 인해 의료와 경제 시스템이 전 지구적으로 흔들리고 있기에, 문명 발전이 지속된다는 낙관론은 더 이상 설득력이 없어 보인다.

과학과 기술이 발전하는 동안, 상대적으로 영적인 정신세계는 그만큼 빠르게 발전하지 못한 것이 문제의 근원이다. 다행히, 전 지구적 재난 후, 인류는 자신과 세계의 어두운 측면과 만나야 하기 때문

〈You know you're in trouble〉

무분별한 발전을 지속해온 인간이 코로나19 위기를 맞아 현재의 상황을 돌아보고 다른 관점을 세우면서 성장할 수 있다는 본문의 내용을 읽고 이전에 인상깊게 보았던 영화 WALL-E를 떠올리면서 그린 그림이다. 스스로 만든 산더미같은 쓰레기 위에서 뒷모습만 보이는 사람이 빛을 받으면서 생각에 잠겨 있다. 지금의 문제가 왜 생겨났는지, 어떻게 해결을 해야 하는지, 나는 어디로 가야 하는지 고민하고 있는 이 사람에게 생각의 끝에 좋은 지혜가 찾아오기를 바란다.

에 병의 뿌리를 볼 기회가 생긴 것일 수도 있다.

융 분석심리학적 용어를 쓰자면, 인류는 자신의 그림자 콤플렉스를 대면하게 된 것이다. 팬데믹에 대한 인류의 집단적 반응은 나병, 페스트, 매독, 스페인 독감 등등 전염병의 종류와 상관없이 공통되는 패턴이 있다. 두려움, 불안, 절망 등의 개인적 감정과 더불어 병의 원인으로 지목되는 집단에 대한 투사가 그것이다. 페스트와 관련된 중세의 유대인과 집시에 대한 박해, 코비드와 관련된 아시아인에 대한 혐오들은 역사적으로 반복되는 사회의 파괴적 정신상황, 융 심리학적 용어로 바꾸자면 부정적 집단 콤플렉스(Group complex)라고 할 수 있다.

검역과 격리도 때와 장소와 상관없이 유사한 반응을 유발한다. 팬데믹은 공동체 생활에 꼭 필요해서 진화된, 타인과 사회에 대한 신뢰(trust)와 친화적 태도(affinity)를 버리도록 강요하게 만들기도 했다. 군락동물(herding animal)인 인류에게 협동과 교류는 존재의 지속에 꼭 필요한 본능인데, 그 반대로 역주행해야 하는 상황이, 집단과 분리된 참 자기(the true Self)가 무엇인지 묻고 실천하게 하는 것은 역사의 아이러니다.

전쟁, 전염병, 자연재해 등의 극한상황에 이르게 되면 폭력을 휘두르는 이들도 있지만, 삶과 죽음에 대한 근원적 질문을 던지는 이들도 있다. 그러나 나는 누구이고, 왜 사는가, 죽음은 어떻게 준비할 것인가 같은 성찰들은 실천이 따라야 비로소 의미가 부여된다.

역설적으로, 팬데믹은 인류 역사상 성장의 귀중한 기회가 될 수 있다. 6세기 유스티니아누스 14세기 페스트, 흑사병은 각각 중세와 근대를 열게 한 기폭제였고, 코비드 역시 포스트 노말(Post-normal) 시대를 여는 계기다. 비대면 회의, 재택근무 등으로 외향적인 태도 없이도 창조적인 활동이 가능해졌다. 거리로 나서거나 총칼을 들지 않아도 해킹과 댓글 활동 등으로 온라인상에서 전쟁을 치르거나 혁명을 완수할 수도 있는 시대가 되었다.

다만, 인터넷 이용률, 디지털 리터리시, 코딩 능력 등이 책을 읽는 문해력 또는 그 어떤 교양보다 더 중요한 인력 자원의 척도가 되었기에, AI보다 더 기계 같은, 그래서 더욱 비인간적이며 파괴적인 좀비 인간의 숫자가 더 늘어날 수 있다.

이런 엄중한 시기에, 온라인상에서 갈등과 분열을 유발하고, 더욱 무지하고 폭력적인 방향으로 사회가 폭주하지 않도록 중심을 잡고 건설적인 방향을 제시하는 진짜 전문가들이 필요하다고 본다. 인간의 마음과 몸을 함께 연구하며 치료하는 의료진이 균형 잡힌 가치관과 신중하고 성숙한 태도를 보여줌으로써 성숙한 사회발전에 힘을 보탤 수 있다는 뜻이다.

(2021. 7. 7)

참고문헌

Tanjena Rumea and S.M. Didar-Ul Islam. Environmental effects of COVID-19 pandemic and potential strategies of sustainability2020 Heliyon Sep; 6(9): e04965

BDO global. How does COVID-19 impact the environment? 04 January 2021

https://www.bdo.global/en-gb/insights/global-industries/natural-resources/how-does-covid-19-impact-the-environment

OECD Policy Responses to Coronavirus. The long-term environmental implications of COVID-19

https://www.oecd.org/coronavirus/policy-responses/the-long-term-environmental-implications-of-covid-19-4b7a9937 May 31 2021

Jung CG. Ed. by Jaffe Aniela, Tr., by Winston R.and C. (1989) Memories, Dreams, Reflections. New York. Vintage Books p236

코로나19 방역

- COVID-19의 비약물적 치료는 지속 가능한가–이종구
- 현장에서 경험한 코로나19 대응을 위한 3T전략–이진용
- 코로나19 바이러스의 감염력 변화 변화:
  인천지역의 예를 중심으로–고광필
- 코로나19 방역의 역학적 이해–조용균
- 코로나19 역학조사와 커뮤니케이션–박미정

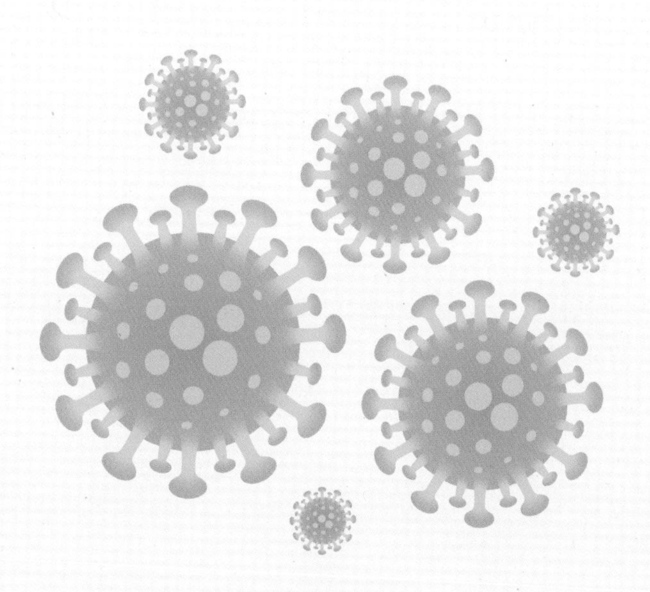

COVID-19의 비약물적 치료 (Non-pharmaceutical Intervention, NPIs)는 지속가능한가?

이종구

서울의대 가정의학 교수

WHO의 COVID-19 담당자인 Dr. Maria Van Kerkhove는 2020년 6월 8일 유증상자(symptomatic case)의 철저한 추적과 격리(isolation), 이들과의 밀접접촉자 추적과 검역격리(quarantine) 관리를 강조하면서 일부 나라의 자료를 보면 무증상자에 의한 감염은 매우 낮아서 공중보건학적 의미가 낮다고 발표했었다.

이 내용은 전구증상기(presymptomatic case)에 감염이 거의 없다는 의미와 사회적 격리(social distance)의 방법이 무의미해진다는 말로 이해되면서 논란이 커졌다. Dr. Anthone Fauci는 'was not correct'라 즉각 반박하였고 다음날 WHO의 Dr. Michael Rayn은 더 관찰이 필요한 사항으로 한 발 물러섰다.

우선 COVID-19의 유행이 지속되고 있는 바 이 질환은 언제까지 지속될 것인가 하는 질문에 답이 필요하다. 이미 700만 명에 가까

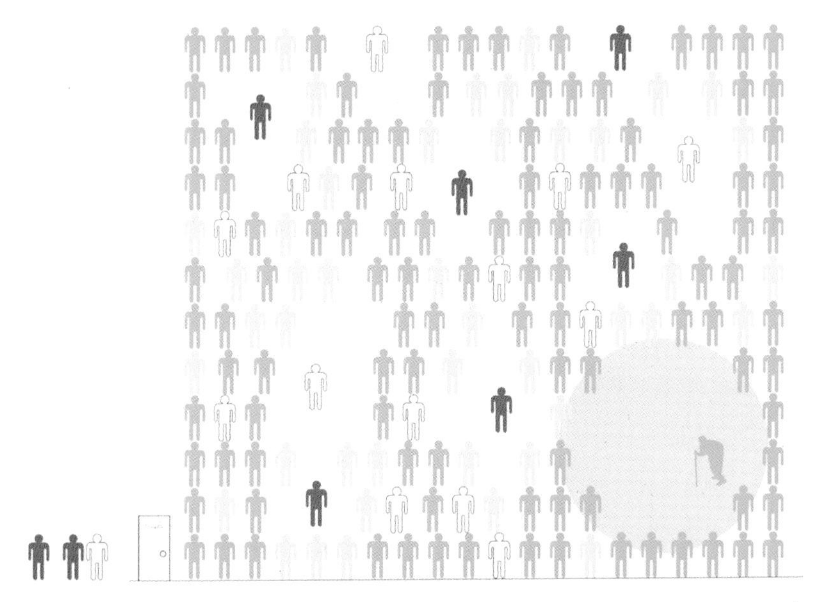

〈Covid-19 conundrum〉

그림을 그릴 당시 코로나를 막을 수 있는 최선의 방법이라 여겨진 거리두기로 코로나19를 어떻게 조절할 것인 지에 대한 질문을 담아 그려낸 그림이다. 증상이 있는 환자는 붉은색, 무증상 환자는 채워지지 않은 붉은 선, 환자와 밀접 접촉한 사람은 노란색, 질환에 노출되지 않은 사람들은 하늘색의 사람으로 표현하였다. 문 안에 있는 확진자와 주변 사람들간의 거리를 확보하여 사회적 거리두기를 표현하였으며, 우측 아래의 고령자를 푸른 원 안에 따로 표시하여 코로나19 고위험군에 대한 보호가 필요함을 표현하였다. 거리를 두지 않고 섞여 있는 무증상 환자를 표현해서 역학조사에서 누락된 확진자가 있을 수 있으며, 완벽한 거리두기는 가능한 것인 지에 대한 고민을 반영하였다. 문 밖에는 들어올 준비를 하고 기다리는 확진자들을 표현하여 당시의 코로나19의 주요 유입 경로가 해외 입국이었던 것을 표현하였다.

운 사람이 감염되어 40만 명에 가까운 사람들이, 특히 많은 고령자들이 생명을 잃고 있어서 이들에 대한 우선적 보호 대책이 매우 중요한 시점이지만 백신 개발과 치료제가 당장 개발될 수 있는 상황이 아니고 개발되어도 안전성과 유효성 검증으로 당장 쓸 수 있을 것으로 보이지 않는다.

이론적으로 이 바이러스가 가진 특성인 확대재생산지수(R_0)[1)2)]를 고려할 때 집단면역($1-1/R_0$)이 60% 정도 되는 시점까지는 계속 환자가 발생할 것으로 추정하고 있다.

전 세계적으로 집단 면역을 가지는 데 수년이 걸릴 가능성도 있다. COVID-19가 박쥐에서 매개동물을 거쳐 사람으로 전파되는 경로도 그리 쉬운 것이 아니며, 또 다른 한편에서 장기 바이러스 보유자에 의한 바이러스가 배출 등 풍토병화에 대한 것도 알려진 바가 없다. 그리고 중화항체가 잘 생기지 않거나 생겨도 일시적으로 존재한다면, 또한 변이가 일어난다면 계절성 인플루엔자처럼 매년 유행할 가능성도 있다.

그렇다면 도대체 2차 유행 가능성에 대한 이론은 무엇인가? 남반부의 브라질, 멕시코와 남아프리카 공화국은 유행이 뒤늦게 시작되고 있는 점, 북반부의 많은 나라들은 정점을 지나고 있으나 억제정책을 풀면서 다시 증가하는 나라가 나타나고 있는 점, 국경이 다시 열리면 여행자들로부터 바이러스가 다시 유입되어 재(再)유행할 가능성 등 2차로 환자가 증기할 수 있다는 가설은 타당하다.

그리고 강력한 억제 정책으로 일반 인구에 대한 노출을 차단하여 성공적으로 유행을 막아 K-방역이란 용어가 나올 정도인 우리나라의 성공은 오히려 인구집단의 면역 형성을 막아서 유입에 의한 재

유행의 가능성이 커진다는 역설적인 의견도 있는 상황이다. 수도권 지역의 소규모 유행의 지속, 이들 집단발병이 대구처럼 대규모 유행(신천지 집단 발병, 5,200여 명)으로 진행될 가능성이 여전히 있어 해외유입에 의한 유행과 더불어 국내 환자에 의한 재유행 가능성이란 '방역의 이중 파고' 가능성마저 보인다.

그렇다면 현재의 우리나라 방역 전략은 앞으로도 과연 유효하고 안전하고 효과적이며 지속가능한가? 각 나라의 공중보건대책은 완화(mitigation)와 억제(suppression) 정책으로 대별된다. 백신이 없는 상황에서 각 나라는 접촉지수(R값)를 1 미만으로 유지하기 위하여 국경 폐쇄, 최소한의 이동 허용, 여행 금지, 집안 내 머무르기 등의 봉쇄(shut down, lock down)를 취했다. 공격적인 억제 정책을 취했음에도 유럽의 유행은 확대되었고, 고령자의 사망률은 높아졌으며, 실업과 경제적 문제로 정점을 지나자 억제 정책(suppression)을 완화하여 이동 제한을 풀고 국경을 다시 열려고 그 기준과 대안을 마련하는 상황이다.

우리나라의 방역정책 성공은 신속한 대응, 즉 의심 사례(검역과정 또는 보건소나 지정병원의 선별진료소)의 격리(quarantine), 이들의 적극적 검사를 통한 환례 조기 발견과 격리(isolation), 진단된 환자와 밀접 접촉자에 대한 검역 격리(quarantine)를 통하여 바이러스 전파를 늦추는 데 성공하였다.

한편 광범위한 홍보를 통하여 손 씻기, 기침 예절, 마스크 쓰기, 사회적 거리두기(최근 물리적 격리-physical distance란 용어를 더 권장)를 통하여 접촉을 줄이고 있으며 유연근무, 재택근무 등 '새로운 정상(new normal)의 방법'을 찾아 사회적 실천을 적극 홍보하고 있다(표1).

그러나 최근 수도권 지역에서 50여 명의 환자가 계속 발생하고 있고 7차 감염까지 진행되어 추적이 쉽지 않은 상황으로 다시 사회적 거리두기로 돌아가자는 의견이 제기되고 있다. 생활방역의 전환 기준이었던 일일 50명 미만(2주간), 역학적 연관성을 찾지 못하는 비율

(표1)사회적 거리두기

분류	사례정책 예	효과성	비용효과성	수용성	우선순위
개인	개인보호(손씻기, 마스크 등)	++	+	+++	새로운 정상
직장	위험집단재택가료	++	++	++	중간
	원격근무	++	+	+++	새로운 정상
	유증상자의 의학적 격리	++	+	+++	높음
	재택근무	++	++	+++	높음
학교	휴교(학교와 대학)	++	+++	++	중간
	학급단위노출, 전파 최소화	++	+	+++	높음
잠정 문닫기 (현장,이벤트)	위험행사(밀집, 밀접, 밀폐)금지	++	+	+++	높음
	상업시설서 거리두기, 환기하기	+++	+	+++	새로운 정상
	100명 이상의 모임 취소	++	++	++	중간
	모든 사회적 모임 금지	+++	+++	+	낮음
	모든 기업활동 금지	+++	+++	+	낮음
여행	감염국의 여행 금지	++	++	++	중간
	지역사회 검역격리(모든 이동금지)	+++	++	+	낮음

자료원 : WHO 내부자료(WPRO informal consultation 자료, 2020년 4월26일), 변형함

5% 미만이라는 작위적 기준의 의미 등 현재의 대책을 재점검하여 관련 인력과 시설을 보완함으로써 향후 유행에 대비해야 한다.

한편 재유행을 막을 수 있는 방안으로 집단 면역방법이 일

각에서 제기되고 있다. 유행이 매우 심각했던 지역의 항체 양성율은 보고 시점의 차이는 있으나 뉴욕시는 19.9%, 스톡홀름은 7.3%(Science, 4 June), 런던 거주자는 17%, 영국 전체는 5%의 항체 양성율(The Guardian, 11 June)을 보이는 것으로 알려지고 있는 반면 최근의 스웨덴 일부 지역은 40%,[3] 이탈리아 일부 지역은 57%의 항체양성을 보였다고 알려지고 있다.[4]

그럼에도 이러한 집단 면역 획득은 그 나라 인구의 3분의 2가 감염되어야 하는데 젊은 사람에 대한 선택적 감염은 가능하지 않을 것으로 판단되어 취약 집단의 많은 희생이 뒤따를 가능성이 높다. 노인·정신 요양시설과 이용시설 등 75세 이상의 지역사회 만성질환자에 대한 조기 감시망을 구축하고 감염예방과 관리를 철저히 하며, 병원 이용이 어려운 계층에 대한 일차의료기관 방문보건과 재택의료 사업이 우선적으로 개발되어야 할 것이다. 그럼에도 불구하고 자연감염에 의한 집단면역은 인위적인 목표라기 보다는 어쩔 수 없는 상황에서 얻어진 부산물로 인지하는 것이 윤리적일 것이다.[5]

(2020. 6. 17)

1)WHO 자료에 의하면 1.4- 2.5로 추정하였으나 Ying Liu는 평균 3.28로 추정하였다.

2)Ying Liu, Albert A. Gayle, Annelies Wilder-Smith and Joacim Röcklov. The reproductive number of COVID-19 is higher compared to SARS coronavirus. Journal of Travel Medicine, 2020, 1-4

3)https://www.hospimedica.com/covid-19/articles/294782383/swedens-coronavirus-strategy-targeting-herd-immunity-could-beadopted-globally-say-analysts.html

4)https://www.dw.com/en/coronavirus-tests-show-half-of-people-in-italys-bergamo-have-antibodies/a-53739727

5)Haley E. Randolph Luis B. Barreir. Herd Immunity : Understanding COVID-19. Immunity 52, May 19, 2020, 737-41

현장에서 경험한 코로나19 대응을 위한 3T전략 (Testing-Tracing-Treatment)

이진용
건강보험심사평가원 심사평가연구소장

[필자는 2020년 3월부터 5월까지 서울특별시 코로나대응 역학조사 상황실에서 역학조사기술반장으로 활동했으며, 그 기간 중에 작성하여 발간된 4편의 영어 논문을 요약하여 이 기고문을 작성했음을 밝힌다.]

3T 전략의 개요와 효과

우리는 지금 코로나19의 세계적 대유행 시대를 살아가고 있다. 사태 초기에 최대 피해국 중의 하나였던 우리나라는 3월 말 이후 빠르게 확산세가 진정되었고 현재까지 다른 나라에 비해 상대적으로 잘 대처했다는 평가를 받는다.

코로나 대응에 관한 우리나라 정부의 공식적인 대응은 투명성(transparency), 개방성(openness), 민주성(democracy) 등 3 원칙을 기반으로 3T 전략을 채택하고 있다. 3T 전략은 검사

(testing)-추적(tracing)-치료(treatment)의 영문 첫 글자를 모은 것으로 대량의 빠른 검사와 추적을 통해 확진자를 조기에 찾아내어 격리와 치료를 제공하는 것이다.

사람들은 흔히 대량검사와 추적이 3T 전략이라고 생각하기 쉽지만 3T 전략의 핵심은 증상발현부터 입원까지의 시간(time from first symptom onset to hospitalization, TFSH)을 최소화시키는 것이다. 증상발현-검사-검사결과 확인-입원까지를 하나의 연쇄반응(chain reaction)으로 보고 각 단계마다 병목현상이 발생하지 않도록 관리하는 것이며 서울시의 경우에는 이 모든 과정을 72시간 이내에 마치는 것을 목표로 하고 있다.[1)]

TFSH 72시간을 달성하는 것은 쉬운 일이 아니다. 증상 발현-검사-검사 확진-입원-접촉자 분류 및 추적-동선 공개-추가 감염 의심자 검사로 이루어지는 chain reaction을 효율적으로 관리해야 하는 일이기 때문이다.

먼저 증상발현을 환자 본인이 인지하고 주변의 검사 장소까지 가서 검사를 받아야 한다. 환자 본인이 증상에 대해 COVID-19 때문이라는 의심을 먼저 해야 작동하는 기전인 것이다.

이 과정을 촉진하기 위해 서울시는 증상이 의심되는 시민들의 검사를 적극적으로 독려하고 있으며 검사비용은 무료이고(free of charge), 쉽게 검사장소(easily accessible)를 찾을 수 있도록 검사장 수를 39개까지 늘렸다.

둘째, 검사 시점부터 검사 결과가 나오는 시간을 단축시켜야 한다. 현재 우리나라는 검사 후 24시간 이내에 검사 결과를 확인하는 것을 원칙으로 삼고 있다. 검사가 지연되는 것을 막기 위해 검사기

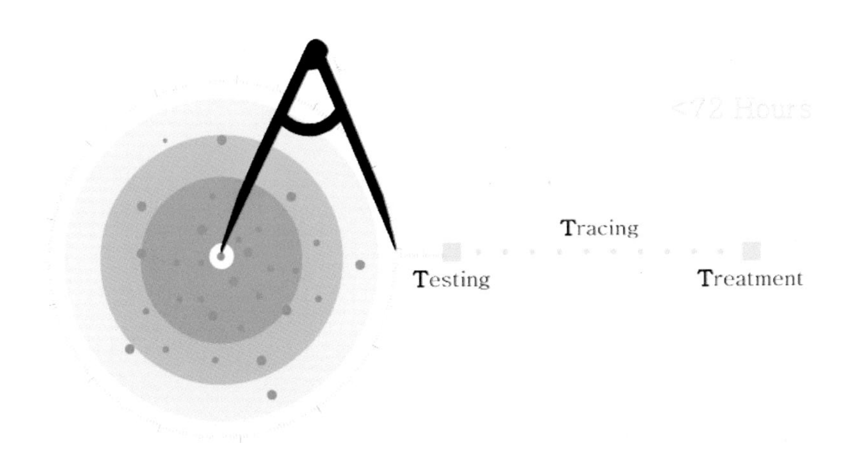

〈Within 72 hours〉

3T 전략 (testing - tracing - treatment) 에 기반한 코로나19 관리 전략을 표현하기 위해서 시계 모형을 사용하여 72시간 내의 testing - tracing - treatment 를 표현하였다.

관을 민간기관까지 확대해서 우리나라의 하루 검사용량은 20,000건에 이른다. 증상 의심자가 검사를 받은 후 검사결과가 나올 때까지 자가 격리를 시행하며 이때 역학조사관들이 이 의심자의 증상 전 48시간 이전까지 접촉자와 이동 동선을 추적하기 시작한다.

셋째, 검사결과가 양성으로 나오면 그 즉시 음압 병실을 갖춘 의료기관으로 이송시켜 조기에 치료를 시작한다. 현재 확진 확인부터 입원까지는 4.3시간밖에 소요되지 않는다. 이를 위해서 서울시는 병원들의 협조를 얻어 총 996병상의 음압 병상을 확보하였다. 그리고 사전에 조사한 접촉자에 대해 검사를 시행하고 이동 동선을 공개하여 같은 시간대에 같은 공간에 있었던 시민들이 자발적으로 검사를 받도록 유도한다. 현재 검사부터 검사결과는 24시간 이내에 나오고, 결과 확진부터 입원까지는 2시간밖에 걸리지 않는다. 결국 시민 개개인이 증상 발현을 느끼고 검사장으로 나오게 하는 것이 TFSH를 줄이는 핵심이 되었다.[2)]

TFSH를 줄이면서 다음과 같은 효과가 발생하였다.

첫째, 확진자를 빨리 찾아내 격리시키고 조기에 입원시킴으로써 주변에 바이러스를 퍼뜨릴 수 있는 시간을 최소화시킬 수 있다. 이는 마스크 착용으로 대표되는 사회적 거리두기의 효과를 배가시킨다. 마스크 착용과 손 씻기가 자신을 보호하고 타인에게 바이러스가 전파되는 것을 막는 효과를 가졌다면, 조기 검사, 조기 격리, 조기 입원은 확진자가 주변에 바이러스를 퍼뜨릴 수 있는 시간을 최소화시켰다.[3)]

이것은 감염원 자체를 지역사회에서 제거하는 것이기 때문이다. 이는 R0값으로도 확인할 수 있다. 서울시의 경우 3T 전략의 효과로 한 때 2.0까지 도달했던 Ro값은 0.2로 떨어졌다.

둘째, 확진자의 접촉자를 빨리 찾아내고 이들에 대한 검사를 빨리 시행했기 때문에 확진자로 인한 지역사회 2차 3차 감염을 예방할 수 있었다. 서울시 감염자 중에서 무증상 감염자의 비율은 약 28.3%로 매우 높은데 이중 상당수는 확진자의 접촉자로 증상이 발현되기 전 조기에 진단 검사를 받았기 때문일 수 있다.

셋째, 감염자가 확진을 받고 병원으로 조기에 이동했기 때문에 초기부터 집중적인 치료를 받을 수 있었고, 상태가 악화되는 것을 막을 수 있었다.

이태원 클럽, 새로운 도전[4)]

4월말부터 신규 확인자가 거의 없는 상태로 유지가 되자 우리는 조금씩 일상으로 돌아가기 위한 노력을 시작했다. 하지만 강력한 사회적 거리두기가 완화된 5월 초 이태원클럽에서 집단감염이 발생했다. 이태원의 코로나 감염은 우리 사회가 어떻게 사회 총력전을 벌이고 있는지를 보여주는 상징적인 사건이다.

황금연휴 동안 이태원 클럽을 방문해서 코로나에 감염된 1차 감염자들이 자신의 거주지로 돌아가 2차, 3차, n차 감염을 유발시킨 사건이다. 1차 감염자는 총 96명으로 추정되며 서울, 경기, 인천, 부산, 강원, 충북, 전북, 제주 등 8개 시도에 거주하고 있었다. 서울지방경찰청의 협조를 얻어 지난 4월 30일부터 5월 6일까지 이태원 소재 유흥업소 5곳을 방문한 5,517명과, 휴대폰 GPS 신호를 바탕으로 유흥업소 일대를 30분 이상 다녀간 57,536명의 명단을 바탕으로 코로나19 검사를 권유하는 문자 메시지를 보낸 뒤, 검사 결과를 익명으로 회신 받는 형식으로 이루어졌으며, 그 결과 5월 25일까지 총 41,612건의 검사를 시행할 수 있었다.

유흥업소 소재지를 다녀간 35,827명 중에서는 0.19%인 67명에게서 코로나19 양성이 확인된 데 반해, 이들을 접촉한 5,785명 중에서는 그의 4배가 넘는 0.88%(51명)가 확진 판정을 받은 것으로 나타났다. 또한, 5월 25일까지 보고된 유흥업소 연관 감염사례 246건에 대한 분석을 진행한 결과 추가 전파는 최대 6차까지 이루어진 것으로 확인되었는데, 1차 감염사례는 96건, 이후 감염사례는 150건으로 약 1.6배가량 많았다.

특히, 추가 전파 규모를 지역적으로 분석한 결과 서울은 25개 자치구 중 한 곳을 제외한 전역으로 확산되었으며, 국내 전체 17개시도 중 70%에 달하는 12개 시도까지 전파가 이루어진 것으로 확인됐다. 3T 전략에 기반을 두고 TFSH 시간을 최소화하지 못했더라면 큰 위기가 되었을 사건이다.

언제까지 사회적 총력전을 유지할 것인가?

코로나 사태는 장기화될 것이다. 이미 많은 나라들의 의료체계가 붕괴되었고 많은 사람들이 죽었다. 우리나라도 3T 전략에 기반을 두고 TFSH 시간을 줄이지 못했다면 아마 같은 운명을 맞이했을 것이다. 우리는 이태원 발 코로나 감염의 전국적 확산을 막기 위해 사회적 총력전을 시행했고 다행히 3T 전략은 성공했다. 4만 건이 넘는 검사와 수천 명에 이르는 전문 인력을 투입해야 했다.

다른 사회적 직·간접비용을 제외하고 검사비만 64억 원에 이르는 이 소모적 총력전을 언제까지 지속해야 될까? 이제 우리는 어떻게 3T 전략을 수정해야 할지를 고민해야 할 때가 된 것이다. 그리고 그 결정은 정부-전문가-국민 모두가 참여하여 위기상황을 공유한 가운데, 그리고 책임을 공유한 가운데 이루어지고 서로의 신뢰를 바탕으로 이루어져야 할 것이다.[5)]

(2020. 8. 12)

1)Na BJ, Park Y, Huh IS, Kang CR, Lee J, Lee JY. Seventy-two Hours, Targeting Time from First COVID-19 Symptom Onset to Hospitalization. J Korean Med Sci. 2020 May;35(20):e192.

2)Na BJ, Park Y, Huh IS, Kang CR, Lee J, Lee JY. Seventy-two Hours, Targeting Time from First COVID-19 Symptom Onset to Hospitalization. J Korean Med Sci. 2020 May;35(20):e192.

3)Jang WM, Jang DH, Lee JY. Social Distancing and Transmission-reducing Practices during the 2019 Coronavirus Disease and 2015 Middle East Respiratory Syndrome Coronavirus Outbreaks in Korea. J Korean Med Sci. 2020 Jun;35(23):e220.

4)Kang CR, Lee JY, Park Y, Huh IS, Ham HJ, Han JK, et al. Coronavirus disease exposure and spread from nightclubs, South Korea. Emerg Infect Dis. 2020 Sep [date cited].

5)Kim T, Lee JY. Letter to the Editor: Risk Communication, Shared Responsibility, and Mutual Trust Are Matters: Real Lessons from Closure of Eunpyeong St. Mary's Hospital Due to Coronavirus Disease 2019 in Korea. J Korean Med Sci. 2020 Apr;35(16):e159.

코로나19 바이러스의 감염력 변화 : 인천지역의 예를 중심으로

고광필

분당서울대학교병원 공공의료사업단 교수

전) 인천광역시 감염병관리지원단 부단장

우리나라에서 코로나19 바이러스 확진자가 처음 발생한 지 6개월이 지났고, 지난 6개월 동안 우리에게 많은 일과 변화들이 있었다. 또한 코로나19 바이러스도 다양한 변이들을 만들어내고 있다.

7월말 기준 인천지역은 큰 위기가 2번 있었다. 3월의 구로콜센터 집단감염과 5월에 이태원 클럽에서 시작된 집단감염이다.

코로나19의 실시간 감염재생산수(Rt)를 보면 이 시기에 1.0을 상회하였다(그림1).

5월 초 이태원클럽에서 발단이 되어 수도권 지역에 확진자들이 다수 발생하기 전까지 인천지역의 코로나19 바이러스의 유행 양상은 그래도 안정적이었다.

5월 7일까지 인천 내의 발생환자 수는 97명이었고, 1차 감염자(인천 내 첫 확진자로 정의) 수는 85명, 2차(인천 확진자의 접촉자) 감염자 수는 11명, 3차 감염자 수는 1명에 불과하였다.

그러나 5월 8일 이태원클럽에 다녀온 인천 내 확진자가 생기면서 이후 상황이 급변하였다. 확진자가 빠르게 증가함과 더불어 이들 확진자와 접촉한 사람 중 확진되는 경우가 이전보다 확실히 많아지고 있었다(표1). 지역사회 전파가 시작된 것으로 코로나19 바이러스의 감염력이 이전보다 강해졌다는 것을 알 수 있다.

그림1. 인천광역시에서 코로나19 실시간 감염재생산수

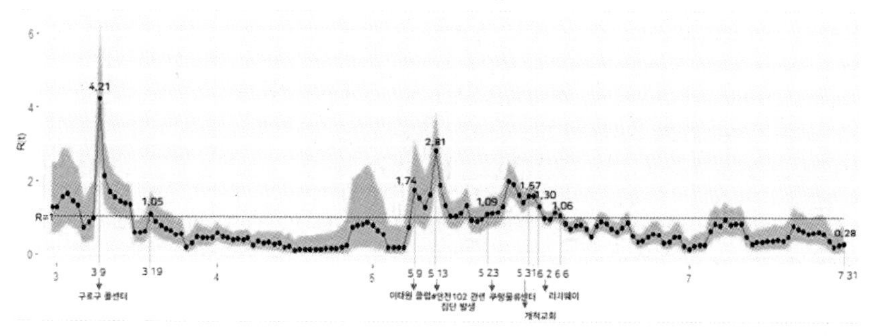

표1. 이태원 클럽 관련 코로나19 감염 발생 전후 인천지역 내 코로나19 확진자 수 (n)

기간 (월.일)	전체 확진자	1차 감염	2차 감염	3차 감염	4차 이상 감염
1.21 ~ 5.7	97	85	11	1	0
5.8 ~ 7.31	287	85	41	48	113

감염력이란 병원체가 숙주 내에 침입·증식하여 숙주에 면역반응을 일으키게 하는 능력을 말하는데, 감염력을 파악할 수 있는 지표 중 하나가 이차발병률(secondary attack rate)이다. 이차발병률은 일차환자(primary case)에 노출된 감수성자 중 해당 질병의 잠복기 동안에 발병한 사람의 비율로 계산할 수 있다.

일차환자에 노출된 감수성자에 대한 구분이 명확하지 않고, 마스크 착용 등 여러 가지 조건들이 상황에 따라 다를 수 있기 때문에 정확한 병원체의 감염력을 비교하기 위해 이태원클럽 관련 감염발생 전/후, 해외유입 확진자에 따라 동거가족 내 이차발병률을 산출하였다(표2).

이태원 클럽 관련 코로나19 감염 발생 전에 동거가족 내 2차 발병률은 6.0%에 불과하였으나 이후 감염자에서의 동거가족 내 2차 발병률은 22.2%로 3.7배 증가하였다.

표2. 인천 지역 코로나 19 감염의 동거 가족 내 2차 발병률

	1차 감염자 수 (a)	(a)의 동거 가족 수 (b)	(b)에서 확진자 수 (c)	2차 발병률 (c/b)	95% 신뢰구간
해외유입	62	55	5	9.1 %	3.0 ~ 20.0
국내발생					
1.20~5.7	41	67	4	6.0 %	1.7 ~ 14.6
5.8~7.31	168	243	54	22.2 %	17.0 ~ 28.4

이와 같은 가족 내 2차 발병률의 변화를 설명할 수 있는 가장 큰 요인 중 하나는 코로나19 바이러스의 유전자 변이일 것이다. WHO에 따르면 코로나19 바이러스는 S, V, G(G, GH, GR로 세분화), L그룹으로 나누어지는데, 질병관리본부에서 발표한 국내 코로나19 바이러스 유전자형 분석 현황에 따르면 4월 이전에는 S와 V그룹이 유행하였고, 4월 경북 예천에서 GH그룹이 확인되었으며, 5월 이태원 클럽 이후에는 모두 GH그룹으로 확인되고 있다.

인천지역 발생과 관련된 사례로, 3월에 발생한 구로 콜센터의 경우 S그룹이었고, 5월에 발생한 이태원 클럽, 쿠팡 물류센터, 리치웨이는 모두 GH그룹이었다. 세포상 G그룹 바이러스가 증식을 잘하고, 결합력이 높아 감염력이 높으나 질병 중증도를 높이지는 않는 것으로 알려져 있다. 중국 충칭대학의 세포실험 결과에서 G그룹

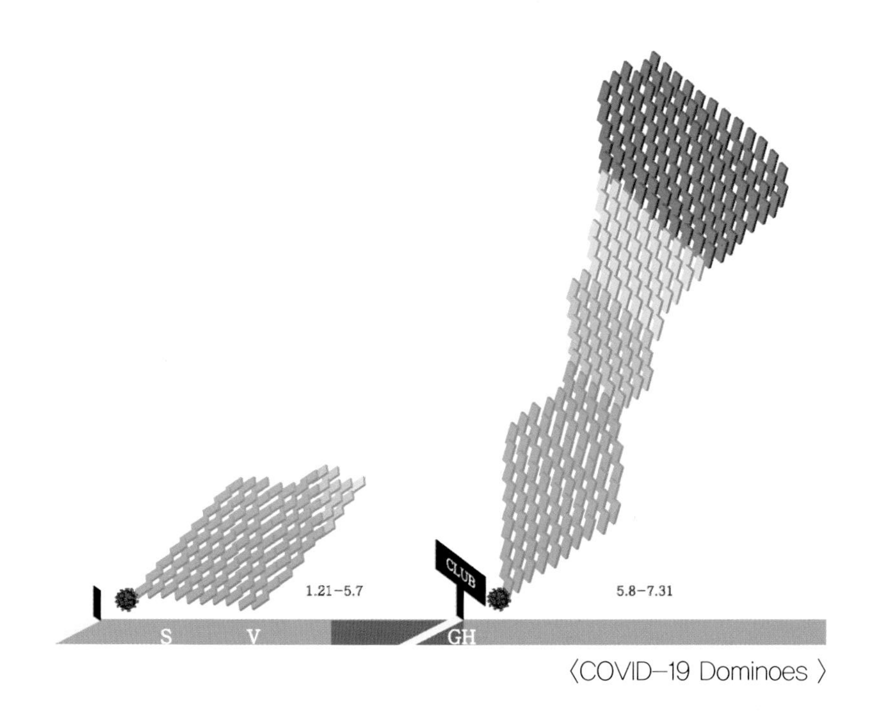

〈COVID−19 Dominoes 〉

대규모의 연쇄적인 코로나 19 감염과 시간에 따른 아형 변화 양상을 차례차례 쓰러진 도미노로 표현하였다.

에서의 감염력이 2.4배 증가하였음을 보고하고 있으며, 인천지역의 역학조사 결과 GH그룹의 감염력이 S와 V그룹에 비해 3.7배 높다는 사실과 일관된 결과를 보여주고 있다

아직도 우리는 코로나19 바이러스와 싸우고 있으며, 코로나19 바이러스의 계속된 변이를 통해 우리는 새로운 국면을 맞이할 수도 있다. 코로나19 바이러스가 1918년 스페인독감 바이러스와 유사한 특성을 지니고 있고 별다른 치료제와 백신이 없기 때문에 다수의 감염자와 사망자가 발생할 수 있음을 경고하기도 한다.

그러나 1918년 스페인 독감과 달리 우리가 가지고 있는 강점은 신속하고 정확한 검사가 가능하다는 점, 개인일정의 전자기록, 휴대폰 위치 추적, 카드사용 내역, CCTV 확인 등을 통해 접촉자 분류가 상당히 빠르고 정확하다는 점, 정보통신의 발달로 의학정보의 빠른 공유가 이루어져 국민의 보건의식 수준이 높다는 점 등을 꼽을 수 있기 때문에 우리가 희망을 가질 수 있는 부분이다.

8월 중순부터 또 다시 상당한 규모의 집단감염이 수도권을 중심으로 시작되어 전국적으로 확대되고 있다. 이번 유행에서도 전염력이 강한 코로나19 바이러스 GH그룹이 주로 유행하고 있는 것으로 알려졌다. 아직 치료제와 백신이 없는 지금 코로나19 바이러스의 확산을 막을 수 있는 방법은 사회적 거리두기와 손 씻기, 마스크 착용 등 가장 기본적인 방역수칙의 준수일 것이다.

(2020. 9. 9)

코로나19 방역의 역학적 이해

조용균
가천의대 길병원 감염내과 교수

치료제와 예방 백신이 없는 신종 감염질환의 대유행이 속절없이 질주하고 있다. 인류는 바이러스의 폭력적 불확실성 앞에서 칸트의 숭고체험을 집단적으로 경험하고 있는 듯하다. 지난 6개월 동안 50만 명의 희생자를 내면서 세계 각국은 자국의 방역에 대한 중간 성적표를 받았다. 바이러스와의 전쟁에서 결국 방역이 최고의 선택지라는 점도 명확해졌다. 그렇다면 성공적인 방역과 연관된 역학적 요인들은 무엇일까? 이 요인들을 2003년 사스와 2009년 신종플루와 비교해서 검토한다.

방역의 목표는 기초감염수(R_0, basic reproduction number)를 감소시켜 실제감염수(R_e, effective reproduction number)를 1 이하로 유지하는 것이다.

기초감염수는 단위 시간 당 접촉수와 해당 질환의 접촉 당 전염력, 감염된 개체의 전염가능 기간의 곱으로 계산된다(R_0=cpd, c:

단위시간당 접촉 수, p: 접촉 당 전염력, d: 전염가능 기간). 동일한 사회문화적 공동체에서 기초감염수는 병원체의 생물학적 특성에 의존하므로 고정 값에 가깝다. 사스의 기초감염수는 2.9, 신종플루는 1.5, COVID-19는 중간인 2.2이다.

그러나 사스(전 세계 발생자 수 8,400여 명)에 비해 낮거나 유사한 기초감염수를 보이는 COVID-19 유행의 규모는 실제감염수로 설명해야 한다.

기초감염수가 유행의 규모를 결정하는 유일한 요인이 아니라면 방역의 성공여부를 결정하는 실제감염수와 연관된 다른 요소가 있다는 의미이다. 실제감염수를 줄이기 위해서 고려해야 할 더 중요한 변수는 (1)세대기간(Tg, disease generation time)과 (2)무증상 전파율(θ, proportion of asymptomatic transmission)이다.[1)]

세대기간은 사람 간 전파기간을 의미하는데 이 기간이 짧고 기초감염수가 클수록 단기간에 대규모 집단발병의 가능성이 커진다. 세대기간은 연속감염기간(serial interval)에 비례하며 신종플루는 2일, 사스는 8일, COVID-19는 5~7일이다. 신종플루가 가장 폭발적으로 유행하고 이에 대응하기 힘든 이유이기도 하다.

그러나 사스와 달리 신종플루와 COVID-19를 통제하기 가장 어려운 이유는 무증상 전파율 때문이다.

환자가 감염원에 폭로된 이후 증상이 발현되는 기간을 잠복기(incubation period), 전염 가능한 시기를 잠재기(latent period)라 한다. 잠재기에서 잠복기를 빼면 latent period offset이고 이 값이 0이거나 양수이면 증상 발현 후 전염력이 생기고 음수이면 무증상 전파가 가능하다는 의미이다. 신종플루는 −0.2일, 사스는

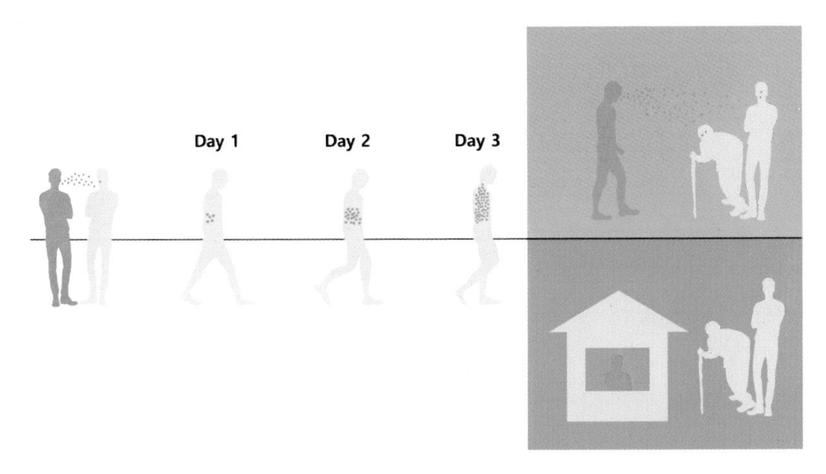

〈Isolate if you got it〉

코로나19 감염의 성격과 효과적인 자가 격리에 대해 논의하신 글에 대한 그림으로, 빨간색 사람은 코로나19 환자이며, 코로나19 환자와 접촉하여 감염이 된 사람은 잠복기 동안에도 타인에게 코로나19를 전염시킬 수 있다. 최대한 빨리 밀접접촉자를 격리하는 것이 코로나19 전파를 차단하는 최선의 방법이며, 3일 이내에 자가격리를 시행하는 것이 중요하다는 내용을 그림으로 표현하였다.

0.2, COVID-19는 -0.8일이다.

사스는 유증상자를 확인하고 즉시 격리 조치만으로 통제가 가능했고, HIV 감염이 10년 정도의 무증상 전파기간을 가지는 특성 때문에 완벽한 근절이 어려운 이유이기도 하다. 따라서 COVID-19 방역의 핵심 고리는 무증상 전파자를 최소화시키는 것이다.

현재 국내 코로나 방역은 (1)사회적 거리두기의 유연한 적용 (2)접촉자 추적(contact-trace)에 기반을 둔 자가 격리(individual quarantine)와 능동감시(active monitoring) (3)광범위한 검사법의 도입에 따른 조기진단과 확진자 조기격리(isolation)가 근간이다.

사회적 거리두기(학교 폐쇄, 재택근무, 다중이용시설 금지, 여행제한, 고위험집단 통제, 유증상자 자가 격리 등)는 접촉횟수를 감소시켜 특정 사회집단의 기초감염수를 줄이자는 전략이다. 수학적 모델링 연구에 의하면 사회적 거리두기는 기초감염수가 2 근방일 때 가장 비용-효과적이며 그 효과도 최대한 30% 정도이다.[2)]

여기에 기초해서 COVID-19 유행을 볼 때, 효과적인 예방백신의 도입 전에는 사회적 거리두기 전략이 유행 초기에 일정한 효과가 있지만, 이 전략만으로는 사회적 비용에 따른 개인의 행동과학적 한계로 유행의 완벽한 통제는 불가능하다고 추정할 수 있다.

결국 위의 세 가지 전략을 동시에 적용해야 무증상 전파자를 최소화시킬 수 있다. 최근의 연구에 의하면 실제 감염수를 1 이하로 줄이는 데 가장 기여도가 높은 방법은 접촉자 추적에 기반을 둔 자가 격리다.[3)] 현재 COVID-19 잠재기는 2.5일, 잠복기는 7.5일로 가장 완벽한 방역은 접촉 후 3일 이내에 자가 격리를 시키고, 최소 5일 이상 격리 상태를 유지해야 가능하다.

인천의 통계에 의하면 지난 2달 간 접촉 후 진단일이 평균 5.5일로 1~2일 정도 지연이 된 것으로 추정된다. 결론적으로 COVID-19의 유행 초기 방역은 (1)적절한 사회적 거리두기와 높은 접촉자 추적률의 유지 (2)접촉 후 자가 격리까지의 기간의 최소화 (3)높은 자가 격리 순응도가 가장 중요하다.

(2020. 7. 15)

1) Fraser C etc (2004) Factors that make an infectious disease outbreak controllable. Proc Natl Acad Sci USA 101(16): 6146. doi:10.1073/pnas.0307506101

2) Reluga TC (2010) Game theory of social distancing in response to an epidemic. PLoS Comput Biol 6(5): e1000793. doi:10.1371/journal.pcbi.1000793

3) Peak CM etc (2020) Individual quarantine versus active monitoring of contacts for the mitigation of COVID-19: a modelling study. Lancet Infect Dis May 20, 2020

코로나19 역학조사와 커뮤니케이션

박미정
서울의대 국민건강지식센터

서론

코로나19 팬데믹은 우리가 서로의 행동에 얼마나 연결되어 있고, 타인에게 얼마나 책임감을 느껴야 하는지 역설(逆說)적으로 역설(力說)하고 있다. 타인의 행동을 통해 내가 안전할 수 있기도 하고, 나를 통해 타인이 안전하지 않을 수도 있다. 역설(逆說)은 또 있다. 서로 두 팔을 벌려 닿지 않도록 거리를 두는 것이 서로에게 의지하는 모습으로 보인다.

코로나19 바이러스는 기침, 재채기, 호흡을 통해 나오는 작은 비말과 접촉을 통해 감염이 발생한다. 따라서 접촉을 피하는 것이 코로나19 감염을 예방하는 가장 우선의 방법이다. 구체적으로 몇 가지를 꼽을 수 있다.

첫째, SARS-CoV-2 바이러스의 물리적인 전파 범위에서 벗어

나는 사회적 거리두기(physical distancing)의 실천이다. 세계보건기구(WHO)가 권고하는 거리 두기는 최소한 다른 사람과 1m 이상 떨어지는 것이다.

둘째, 자발적인 격리(quarantine)이다. 코로나19에 감염된 증상은 나타나지 않았지만, 감염에 노출되었을 수도 있다고 판단되는 사람이 증상이 나타날 때까지 다른 사람과 분리되기 위해 스스로 집에 머물거나 활동을 제한하는 것이다.

셋째, 코로나19에 감염된 증상이 나타나고, 진단 검사를 통해 확진이 판명되어 감염 확산을 막기 위해 법적 근거에 따라 정해진 기간 동안 본인의 집이나 특별한 시설에서 머무는 것이다(isolation).[1)]

자발적인 자택 격리나 격리 대상자로 구분되는 기준은 확진 환자 사례 정의에 따른 역학조사관의 판단과 진단 검사의 결과를 통해서이다.

본론1. 코로나19 역학조사란 무엇인가?

역학조사는 코로나19 시대에 새롭게 생겨난 프로세스가 아니다. 19세기 중반부터 영국에서는 감염 사례 발견, 통보, 격리, 소독으로 구성된 감염병 감시 시스템을 만들었고, 지역 보건의료기관에는 위생 검사관(inspector)을 두었다.[2)]

코로나19에 대한 우리나라 역학조사는 감염병 역학조사에 숙련된 전문가가 법적인 근거를 가지고 중앙방역대책본부에서 펴낸 코로나 바이러스 감염증-19 대응 지침에 따라 진행된다.

역학조사를 구성하는 요소 중 하나는 접촉 추적이라고 할 수 있다. 접촉은 사람 간 물리적인 상호작용이며, 추적은 사람 사이의 연결 정도를 식별하는 것을 의미한다.[3)]

연결 정도를 식별하는 과정은 네 부분으로 나눌 수 있다.

가장 먼저 코로나19 증상이 발현된 의사 환자 및 조사대상 유증상자로 역학조사의 대상자를 분류하는 것이다. 역학조사는 감염 의심 사례에 대한 검체 검사를 통해 감염 여부를 확인하면서부터 시작된다.

두 번째는 진단 검사결과를 통해 확진이 된 사람과 밀접 접촉자를 가려내는 것이다. 우리나라는 확진 사례마다 일 대 일 면담을 통해 사람들과의 접촉 정도를 역학조사관이 판단한다.

세 번째는 확진자와 밀접하게 접촉이 있었다는 사실을 당사자에게 고지한 후 감염병 예방과 관리에 필요한 행동을 하도록 하는 것이다. 진단 검사를 받거나, 자발적인 격리를 권고하거나, 정해진 기간, 정해진 장소에서 격리하는 것이다. 이 과정도 전화 통화로 직접 알릴 수도 있고, 알림 메시지를 보낼 수도 있다.

역학조사의 마지막 단계는 능동 감시(active follow-up)를 통해 확진자가 격리기간 동안 적절하게 감염병 예방과 관리를 하고 있는지 확인하는 것이다.

본론2. 코로나19 역학조사는 왜 하는가?

코로나19에 대응하는 비약물적 중재(Non-pharmaceutical

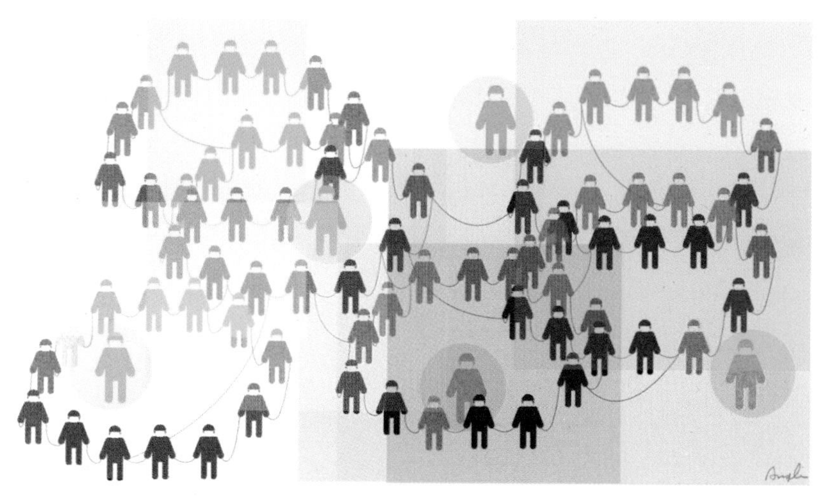

〈All in the same boat〉

하늘 색의 역학 조사관들이 코로나19 환자를 찾아 내고 있으며, 역학 조사 시에는 확진자의 연결 고리를 조사해 밀접 접촉자를 함께 찾아 내야 한다. 환자들이 각자의 공동체를 가지고 있지만, 공동체를 넘어 모든 사람은 연결되어 있고, 코로나의 해결을 위해서는 함께 노력해야 함을 모두의 손에 연결되어 있는 선으로 표현하였다.

Interventions: NPIs)의 목표는 바이러스 확산을 차단하고, 감염병 발생률을 감소시키는 것이다. 코로나19에 대응하는 중요한 공중보건 전략으로서 환자와 밀접 접촉한 사람에 대한 추적조사가 부각되었다. 확진자와의 밀접 접촉자에 대하여 신속한 진단 검사와 격리 조치를 하여 바이러스 확산을 막기 위함이다.

SARS-CoV-2 바이러스의 특징은 감염력이 높고, 감염 증상이 발현되기 2~3일 전부터 상당한 감염률이 있다는 점이다. 그래서 환자와 밀접 접촉을 했으나 인지하지 못한 채 전파자가 될 수 있기 때문에 신속하게 접촉 사실을 고지하고, 격리를 통해 전파 고리를 끊음으로써 전체 감염자의 규모를 줄일 수 있다.[4)]

가장 우선되는 역학조사 대상은 코로나19 감염 진단 검사 결과 양성자이다. 양성 확진자는 자신과 동선이 겹치고, 밀접하게 접촉한 사람을 가려내기 위해 추가적인 정보제공을 요청받는다. 역학조사관으로부터 걸려오는 전화를 받으면 양성 확진자는 동선을 밝히고, 같은 장소와 시간대에 함께 있었던 사람을 역학조사관에게 알려준다. 역학조사관은 확진자와 접촉한 사람들에 대한 정보를 바탕으로 현장에서 밀접의 정도를 확인한다.

대화를 통해 충분하고 의미 있는 정보를 얻지 못할 경우에 담당자는 다른 경로를 통해 사실 확인을 한다. 예컨대 현장의 CCTV를 확인하거나, 신용카드 정보를 대조하거나, 휴대폰 기지국 정보를 확인한다. 우리나라는 이러한 개인정보를 방역 당국이 관계기관에 요청하고 받을 수 있는 법적 근거로서 감염병의 관리 및 예방에 관한 법률이 있다.[5)]

법률에 명시된 역학조사의 방법에 따라 확진 사례마다 심층 역학조사가 진행되고, 증상이 발현되기 전에 밀접 접촉자를 찾아내어 진단 검사와 격리조치를 할 수 있다.

거리적 분산이 감염병의 확산 속도에 영향을 미친다는 점은 감염자와 접촉된 사람을 분리하기 위해 밀접 접촉자의 동선 추적을 하는 타당한 이유가 될 수 있다. 접촉자 추적에는 접촉자 식별, 접촉과 감염과의 인과관계 확인, 확진자에 대한 격리 관리, 격리 장소를 이탈하는 사람들에 대한 관리가 포함된다.

우리나라의 인구 백만 명당 일일 평균 양성률은 발생 초기부터 8월 20일 기준 1% 미만을 유지하였다.[6)] 이 양성률은 한 명의 확진자를 찾기 위해 얼마나 많은 테스트를 했는지, 이를 위해 얼마나 철저하게 역학조사가 이루어졌는지를 반증한다.

환자와 밀접 접촉자를 찾아내는 일은 재생산지수(reproductive number; R)에도 영향을 미친다. 밀접 접촉자를 찾아내어 격리하거나 사회적 거리 두기와 같은 공중보건 조치를 통해 R 수치를 감소시킬 수 있다. 격리의 효과는 전체 감염원의 규모를 줄일 수 있다. R_0와 R의 차이는 밀접 접촉자 추적의 영향을 측정할 수 있는 수치로 해석할 수 있다 [그림 1]. 예를 들어 오늘 접촉자 추적이 시작되면 2~3주 후에 확진자 수가 감소하는 효과로 나타난다. 2주 동안 집에만 머무르게 되면, 다른 이와 접촉하지 않기 때문에 그 결과 전체 발생률에 영향을 미치게 된다. 증상 발현 후 격리되기까지의 시간이 감소할수록 평균적으로 2차 감염자의 수를 줄이는 효과를 기대할 수 있다.

그림 1. 감염질환의 자연경과와 비약물적 조치(참고: C. Fraser, 2004)

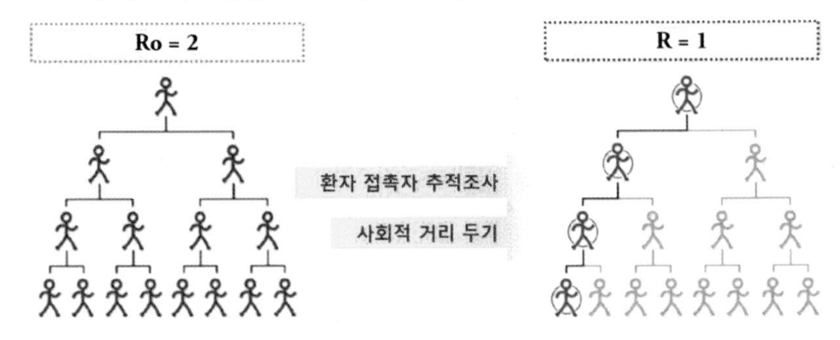

본론3. 코로나19 역학조사와 정보통신기술의 활용

WHO는 밀접 접촉자 추적을 바이러스에 감염된 사람이나 잠재적으로 다른 사람을 감염시킬 가능성이 높은 사람과 밀접한 접촉을 한 사람을 식별하는 프로세스로 정의한다. 이러한 식별을 신속하게 수행하기 위해 콘택트 트레이싱(contact tracing) 앱을 사용하는 방안이 새로운 아이디어로 모색되었다. 대표적인 밀접 접촉자 추적 앱의 개발형식은 다음과 같다.

구글과 애플이 공동 개발한 '프라이버시 보호 코로나 바이러스19 동선 추적(privacy-preserving COVID19 contact tracing)'[7]

MIT 대학교의 'Private Kit : Safe Paths'[8]

유럽연합 여덟 나라의 프로젝트인 '범 유럽 프라이버시 보호 근접 추적(Pan-European Privacy-Preserving Proximity Tracing; PEPP-PT)[9]

여러 나라에서 2020년 5월부터 '노출 알람 앱'을 활용하거나 도입할 계획을 세우고 있다. 앱 형태의 콘택트 트레이싱 도구는 감염자와 최소 15분 동안 6피트 이내에 있는 휴대폰에서 서로 블루투스 신호를 주어 환자와 밀접하게 접촉하고 있는 사람에게 이를 알려준다.

하지만 이러한 앱에서 얻어지는 데이터는 밀집도를 감소시켜 거리 두기 효과를 유도하는 다양한 비약물적 중재를 결정하는 증거로 활용하기에는 미흡하다. 다양한 스마트폰의 하드웨어 속성이 다르므로 일관되게 정확한 거리를 측정하기 어렵고, 마스크 착용 여부와 같은 상황은 파악할 수 없기 때문이다. 또한 밀접 접촉자에 대한 자가 격리(quarantine)는 신체 이동의 자유를 제한하고, 인간의 기본권을 침해할 수 있기 때문에 언제나 법적 근거에 따라 수행되어야 한다. 밀접 접촉자에 대한 조치를 위한 이러한 법적 근거가 사전에 마련되어야 한다. 프라이버시 침해를 우려하여 자발적으로 앱을 설치하지 않는 문제도 풀어가야 할 숙제이다.[10)]

우리나라가 선택한 정보통신기술은 기존의 역학조사에서 밀접 접촉자 분류 시간을 상당히 단축할 수 있는 '역학조사 지원시스템'이다.[1)]

이 시스템은 보건당국이 다양한 기관에 각각 요청하거나 확인해야 했던 신용카드 거래내역, 대중교통 이용 이력, 의료기관 방문 이력 등의 정보들이 확진자의 동의에 따라 통신회사 기지국 정보와 연계되는 방식이다.

본론4. 코로나19 역학조사에서 커뮤니케이션은 왜 중요한가?

이론적으로 훌륭한 개인정보 보안기술을 적용한 콘택트 트레이싱 앱이 있더라도 표준 프로토콜에 따라 역학적 노출 데이터와 생물학적 샘플을 체계적으로 수집하여 감염의 중증도와 전염성에 대하여 적절하게 평가하고, 잠재적 고(高)위험군을 분류하여 역학적 매개변수를 보다 구체적이고 정확하게 분석하기 위한 역학조사를 대신할 수는 없다.

기술 스스로는 격리와 같은 중재를 할 수 없다. SARS-CoV-2 바이러스에 노출되었다고 예상되는 대상자를 모니터링하고, 필요한 방역조치 사항을 계속해서 알려주는 역할, 감염되었을까 염려하고 검사나 신고를 망설이는 이들에게 자신의 선택에 따라 타인의 감염위험을 줄이는 행동을 할 수 있다는 사실을 알려주는 역할도 모두 특정한 공중보건의 목적을 위해 훈련된 역학조사 전문가가 하는 일이다.

확진자와 직접 면담, 현장 확인, 전화통화를 통해 심층조사를 하는 사람은 역학조사관이다. 우리나라 역학조사관은 전문임기제 가급과 나급으로 구분되며, 의사 면허증 소지 후 6년 이상 또는 2년 이상 연구 또는 근무한 경력을 가진 역학조사관이 질병관리본부와 각 지자체에 소속되어 있다.

한 사람의 확진자에 대한 심층 역학조사를 완료하기까지는 많은 시간이 소요된다. 성공적으로 정보를 수집했다 하더라도 단순 노출자(exposure)와 밀접 접촉자(contact)를 구분하는 것은 쉬운 일이 아니다. 구분기준으로서 신체 접촉 거리, 마스크 착용 여부, 체류 시간, 노출 상황 및 시기 등 참고하는 접촉자 범위가 있지만 이러한 상황에 비추어 보더라도 단순과 밀접으로 무 자르듯이 잘라내기 애매한 경우가 더 많다.

확진자에 대한 커뮤니케이션은 감염력이 있는 동안 머물렀던 장소와 시간을 되짚어보며 역학적으로 의미 있는 정보와 접촉자에 대해 필요한 사항을 알아내는 일이다.

확진자 중에는 사생활 노출이 꺼려져서 역학조사 질문에 비협조적일 수 있고, 입원환자는 답변하기 힘든 상황에 놓여 있을 수 있다. 발생 장소와 거주지가 다를 경우, 같은 이야기를 여러 지자체 공무원에게 반복해야 하는 데 지치기도 한다. 불특정 다수로부터 쏟아지는 비난이나 낙인이 두려워 대화를 중단해 버리는 사람도 있고, 고의로 정보를 숨기거나 오해의 소지가 있는 진술을 하는 사람도 있다. 본인과 접촉한 지인들을 밝혀야 하므로 미안함과 막연한 수치심에 대화를 꺼리는 사람도 있다.

이렇게 다양한 이유로 다른 반응을 보이는 사람들과의 커뮤니케이션이 코로나19 예방을 위한 의미 있는 행동으로 이어지기 위해서는 인내와 공감과 재치가 필요하다.[12)]

역학조사를 위한 커뮤니케이션의 목표는 코로나19에 관한 중요한 정보를 주고, 감염자 또는 감염 의심자가 격리나 진단 검사에 따르도록 설득하는 것이다. 면담조사 때 밝힌 정보가 불분명할 경우에 다른 출처에서 개인정보를 수집하여 확인하는 조사방식이 공감되도록 해야 한다.[13)]

확진자와 밀접 접촉자와의 커뮤니케이션은 전화통화, 설문조사, 현장조사, 대면조사로 이루어진다. 개방형 질문을 하고, 돌아오는 답변을 정리하여 반복해 줌으로써 진술을 확인하는 방식이다. 사람은 저마다 나름대로 독특한 이야기를 가지고 있다는 마음으로 한 발 물러서서 그들이 말하는 배경과 맥락을 이해하는 것을 목표로 듣는 것이 중요하다.

전화통화는 전화를 한 본인의 소개와 대상자의 신원 확인에서부터 시작된다. 그리고 코로나19 바이러스에 노출되었을 가능성 때문에 전화한다는 취지를 밝힌다. 서두에서 비밀유지에 대한 설명을 충분히 해야 한다. 커뮤니케이션의 방해 요소는 개인정보를 노출해야 한다는 점과 특정 장소와 직업 등으로 다른 사람들이 자신의 사생활을 유추할 수 있다는 염려이다.

이 두 가지는 엄밀한 의미에서 문제의 본질이 다르다. 그러나 공통적인 대안은 역학조사관이 과잉 반응을 보이거나 본인의 신념이나 판단을 표현해서는 안 된다는 점이다. 프라이버시 침해가 일어날 수 있다는 개연성을 염두에 두고 주의 깊게 대화해야 한다. 모든 질문에 진술이 모두 필요하지 않을 수 있으며, 문제 해결을 위해 추가 질문이 필요할 수도 있다.

그 다음 코로나19에 대하여 개인별 증상과 건강 상태를 평가하기 위한 질문을 이어 나간다. 기본적인 건강 상태와 코로나19 증상 발현 여부에 대하여 하나씩 확인하고, 증상이 있다면 진단검사를 받도록 안내한다. 만약 이미 진단검사를 받았다고 할 때는 검사를 받을 당시에 음성 결과가 나왔더라도 코로나19의 발병 여부를 아직 알 수 없으므로 가족과 가까운 이웃을 위해 자발적으로 격리하는 것이 중요하다는 사실을 알려주어야 한다. 이때 가족 구성원이나, 장소, 격리 중 생활 등에 대한 실제적인 정보를 준다.

개별적으로 해당 조치에 따르지 못하는 어려움과 두려움에 대해

들어주고, 지원해 줄 수 있는 인적, 물적, 심리적 자원이 있음을 설명해 주어야 한다. 감정적으로 격앙된 사람에게는 현재 상황에서 선택지는 오직 하나밖에 보이지 않는다는 사실을 인정해 주고, 그 상황을 조금만 벗어나면, 선택하든 안 하든 하나 이상의 선택지가 있다는 사실을 말해주어야 한다.

결론

우리는 코로나19 원인 바이러스의 정체를 알아가고 있다. 그 기원에 대하여 여전히 과학적 탐구가 진지하게 진행되고 있고, 그 끝자락을 언급할 때도 여러 조건이 전제가 되어야 한다. 코로나19의 감염 예방과 관리를 위한 지침은 계속해서 완벽하게 만들어가는 과정에 있다고 할 수 있다.

역학조사를 통해 시기를 놓치지 않고 밀접 접촉자에 대한 진단검사가 이루어지고, 격리까지의 시간이 최소화되고, 사람 간 바이러스가 전파되는 경로가 차단된다. 특히 코로나19 발생이 폭증하는 시기의 역학조사와 전파 경로 파악은 더 중요한 의미를 갖는다. 역학조사에 협조하지 않는 사람들도 따라서 증가하고 있다.[14)15)]

2주 동안의 격리 기간은 긴 시간이다. 인플루엔자에 따라서는 감염 기간이 하루만 지속되기도 한다는 점에 비추어볼 때, 다른 사람에게 전파되는 고리를 끊기 위해 고립되어 있어야만 하는 2주간의 시간은 염려, 우울함, 두려움이나 공포심 같은 감정이 나타날 수 있는 시간이다.

역학조사에서 커뮤니케이션이 중요한 이유는 모든 사람이 똑같이 반응하지는 않지만, 이러한 다양한 감정을 마주하고 다양하게 반응하는 사람들과 함께 코로나19의 실체를 규명해 나가야 하기 때문이다.

(2020. 9. 16.)

1)WHO, What is the difference between self-isolation, self-quarantine and distancing? Available at. https://www.who.int/emergencies/diseases/novel-coronavirus-2019/coronavirus-disease-answers?query=social+distancing(Accessedon1stSEP2020)

2)The Sanitary Inspector's Handbook: A Manual for Sanitary Inspectors and Other Public Health Officers. Available at. https://www.ncbi.nlm.nih.gov/pmc/articles/PMC5158543/(Accessedon1stSEP2020)

3)US CDC, Contact Tracing for COVID-19. Available at. https://www.cdc.gov/coronavirus/2019-ncov/php/contact-tracing/contact-tracing-plan/contact-tracing.html(Accessedon1stSEP2020)

4)Luca Ferretti et al.,(2020) Quantifying SARS-CoV-2 transmission suggests epidemic control with digital contact tracing, Science 368(619). Available at. https://science.sciencemag.org/content/368/6491/eabb6936(Accessedon1stSEP2020)

5)감염병의 예방 및 관리에 관한 법률 제 76조의2. Available at. https://www.law.go.kr/lsSc.do?section=&menuId=1&subMenuId=15&tabMenuId=81&eventGubun=060101&query=%EA%B0%90%EC%97%BC%EB%B3%91#undefined(Accessedon1stSEP2020)

6)Our world in data, Coronavirus (COVID-19) Testing. https://ourworldindata.org/coronavirus-testing#what-can-we-learn-fromthese-measures-about-the-pandemic(Accessedon1stSEP2020)

7)Google(2020). Privacy-Preserving Contact Tracing. https://www.apple.com/covid19/contacttracing (Accessed on 1stSEP2020)

8)MIT(2020). Private Kit: Safe Paths: Privacy-by-Design Covid19 Solutions. https://safepaths.mit.edu/ (Accessed on 1stSEP2020)

9)Pan-European(2020). Privacy-Preserving Proximity Tracing. https://www.pepp-pt.org/ (Accessed on 1stSEP 2020)

10)박미정(2020). 코로나19 추적조사와 프라이버시 (1). BRIC View 2020-TX6. Available at. https://www.ibric.org/myboard/read.php?Board=report&id=3504 (Accessed on 1stSEP2020)

11)Ministry of Science and ICT ROK, How we fought COVID-19

12)ASTHO's e-Learning center. Making Contact: A Training for COVID-19 Contact Tracers. Available at. https://learn.astho.org/p/ContactTracer#tab-product_tab_course_content__12 (Accessed on 1st SEP 2020)

13)박미정(2020). 코로나 19 추적 조사와 프라이버시 (2)-Contact Tracer와 밀접 접촉 추적 앱 -. BRIC View 2020-TX7. Available at. https://www.ibric.org/myboard/read.php?Board=report&id=3530 (Accessed on 1stSEP2020)

14)Politico. Contact tracing foiled by conspiracy theories, lack of federal messaging. Available at.https://www.politico.com/news/2020/09/03/contact-tracing-conspiracy-theories-trump-messaging-408611?nname=politico-nightly-coronavirus-special-edition&nid=00000170-c000-da87-af78-e185fa700000&nrid=00000171-2904-dfbe-a17b-3ba66eb90000&nlid=2670445(Accessedon04SEP2020)

15)DongA.com(2020.08.17) 사랑제일교회 1045명 연락 불통…669명 주소 불분명 거주자, Available at. https://www.donga.com/news/Society/article/all/20200817/102520419/1(Accessedon04SEP2020)

코로나19 치료

- SARS-CoV-2 분자진단검사 데이터의 이해-박경운
- 코로나19 치료제 렘데시비어 임상 시험 결과-오명돈
- 코로나19 확진자가 재감염될 수 있는가-박완범
- 코로나19 중환자 급증 위기 상황에서 의료자원 배분의 원칙, 분류시스템 도입 및 중환자의 관리방안-조영재
- Global COVID-19 Vaccine Race : Where are we at right now?-이철우·안 워텔·제롬 김
- 코로나 치료제 및 백신 임상시험 현황-정재용

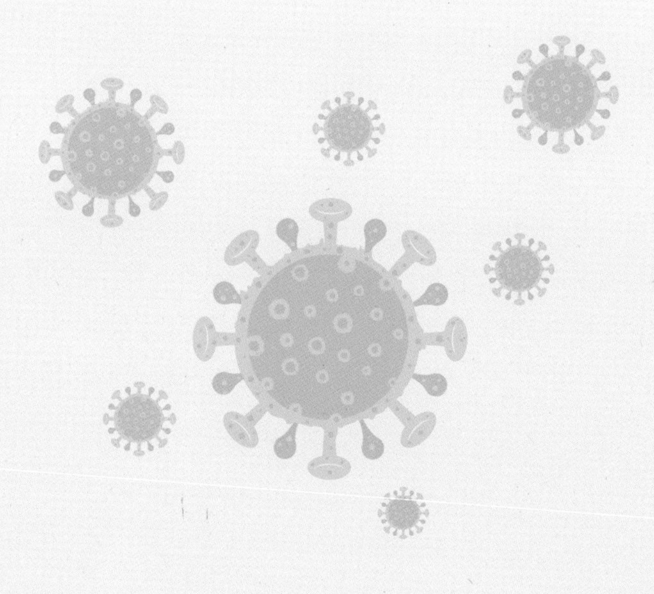

SARS-CoV-2 분자진단검사 데이터의 이해

박경운
서울의대 검사의학 교수

1. SARS-CoV-2 분자진단검사 판독의 개요

인체유래물(검체)에서 병원체의 존재 여부를 규명하는 자체가 곧 감염병의 진단으로 이어질 수 있는 임상미생물 분야에서는 진단검사의학을 통한 체외진단(in vitro diagnostics) 데이터 구축 및 판독의 중요성이 명확하다. 현 시점에서 SARS-CoV-2 검출에는 주로 분자진단이 사용되며, 그 핵심은 검체에 존재하는 미량의 바이러스 핵산을 증폭하여 병원체의 존재 여부를 확인하는 것이다.

인체 내에서 바이러스의 양은 계속해서 변하지만, 진단검사에서는 특정 시점의 검체 내에 바이러스가 존재하는지 여부를 확인한다. 따라서 특정 시점에 얻어진 데이터의 판독을 통해 바이러스의 존재 유무를 결정하기 위해서는 다양한 인자를 함께 고려하여야 한다.

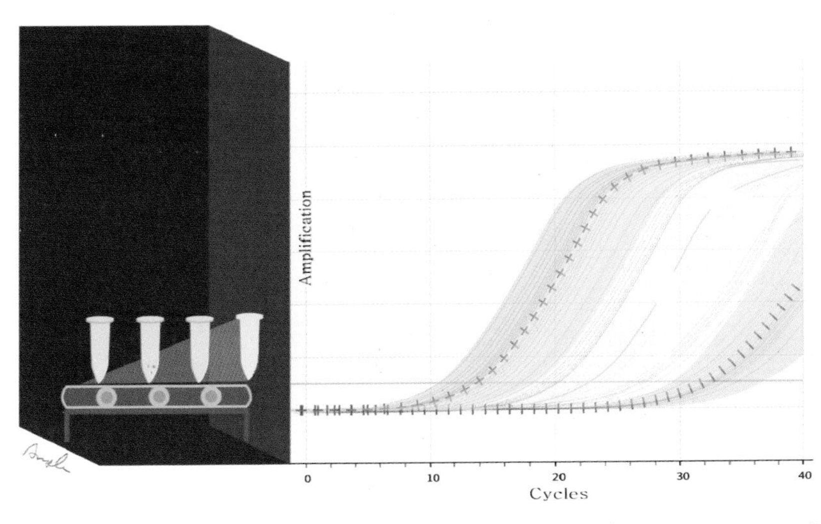

〈The rainbow zone〉

코로나19 PCR 검사는 핵산 증폭을 이용하는 검사로, 적은 증폭 사이클로 바이러스가 검출되었다면 채취된 검체에서 바이러스 양이 많았다는 것을 의미하고, 많은 사이클을 돌려야 한다면 바이러스 양이 적다는 것을 의미한다. 대개 23~25회 미만의 증폭 사이클을 가지면 코로나19 바이러스 양성이라고 판정한다. 하지만 검사에는 언제나 위양성과 위음성이 있고, 중간값이 나올 경우 코로나19 감염 여부를 명확하게 판정하기 어려워진다. 이 때, 여러 상황을 고려한 분석자의 해석이 중요해지게 되며, 명확한 해석이 어려운 다양한 원인의 회색지대를 Rainbow Zone이라 표현하였다.

증폭의 형광신호가 전혀 없거나 강한 경우에는 판독이 용이하지만, 증폭의 형광신호가 약하거나 모호한 경우에는 판독에 상당한 어려움이 따른다.

이런 경우의 원인으로는 부적절한 검체(불완전한 채취, 운송이나 보관 중 핵산 손실, 교차 오염 등), 형광신호 잡음 등 검사기법 자체의 한계, 감염병 초기, 감염병 회복기 등을 들 수 있다.

실시간 핵산증폭검사에 사용되는 검사용 염기서열, 형광, 실시간 핵산증폭검사기의 가동조건, 실시간 핵산증폭의 조건 등 다양한 변수가 명확히 조정되고 유지되어야 한다. 보다 정확한 분자진단을 위해 바이러스의 유전자 2~3개를 동시에 증폭하는 경우에는 여러 데이터를 모두 숙지하고 종합하여 판독한다. 판독 시에는 음성대조 및 양성대조를 반드시 포함하여 해석하며, 최종적인 판독의 결과는 음성, 양성, 미결정 등으로 제시한다.

2. 긴급사용 승인

현재 사용되는 실시간 핵산증폭검사 키트는 긴급사용 승인(emergency use authorization, EUA) 제품이다. 한시적으로 사용이 승인된 이런 제품들에는 일반적으로 다음과 같은 문구가 기재되어 있다.

'본 제품은 임상적 성능이 검증되지 않은 긴급사용 승인 제품입니다. 일반적으로 체외진단의료기기를 의료영역에 적용하기 위해서는 미리 규정된 바에 따라 수행된 임상적 성능시험의 결과에 따라 해당 체외진단의료기기를 평가하여야 하지만, 긴급사용 승인의 경우 국제공중보건위기상황(public health emergency of international concern, PHEIC) 등의 이유로 임시로 사용승인을 받은 것입니다.'

미국 식품의약국(Food & Drug Administration, FDA)에서는 SARS-CoV-2 분자진단검사 관련 긴급사용 승인을 위한 검증 항목으로 네 항목(limit of detection, clinical evaluation, inclusivity, cross-reactivity)을 제시하고 있다. 이에 따라 긴급사용 승인의 취지에 맞추어 최소한의 성능평가 항목만을 고려하고, 각 항목별로도 최소한의 평가를 진행한다.

3. SARS-CoV-2 분자진단검사 위음성의 이해

진단검사의 양과 속도보다는 진단검사의 정확성에 더 주목하여야 한다. 특이도라 함은 질병이 없는 대상자 중 검사 결과에서 음성으로 나타나는 비율을 말한다. 특이도가 높은 검사는 위양성률이 낮기 때문에 검사 결과가 양성일 경우 질병이 있다고 판단하는 데 도움이 된다.

민감도는 질병을 가진 환자 중 검사 결과에서 양성으로 나타나는 비율을 말한다. 민감한 검사법은 위음성률이 낮으므로 검사 결과가 음성일 경우 특정 질병을 배제하는 데 도움이 된다. 위음성의 경우 해당 환자가 감염원으로 작용할 수 있어 더욱 문제이다(특히 무증상의 경우).

민감도 70%인 진단검사 X와 민감도 90%인 진단검사 Y를 통해 위음성의 실제적인 의미를 살펴보고자 한다. 추정감염가능성(pretest probability)은 검사 전에 감염의 가능성을 임의로 추정하는 것이며, 이는 해당 지역의 COVID-19(coronavirus disease 2019) 유병률, 개인의 SARS-CoV-2 노출력, 개인의 증상 유무, 다른 질환의 가능성 등을 고려하여 결정된다.

민감도 90%인 진단검사 Y에 의하여 음성인 경우 추정감염 가능성 33% 이하인 상황에서는 감염의 가능성을 배제할 수 있고, 이 경우 다른 사람과 접촉하는 것이 가능하다. 추정감염 가능성이 15%를 초과하는 상황에서는 민감도 70%인 진단검사 X에 의하여 음성이더라도 실제로는 감염자일 가능성을 배제할 수 없다.

민감도가 70%인 진단검사 X의 경우, 추정감염 가능성이 50%인 상황에서 진단검사 결과가 음성인 경우에 실제로는 감염자일 확률이 23% 정도에 이른다.

결론적으로 추정감염 가능성을 낮추기 위한 노력(사회적 거리두기, 마스크 착용 등) 및 적절한 진단검사(충분히 검증되고 매우 민감한 검사)가 동시에 고려되어야 한다.

추정감염가능성이 상당히 높은 상황에서는 아무리 민감한 진단검사라도 위음성의 가능성에서 자유로울 수 없다. 한편, 바이러스의 변이로 인한 위음성 등을 방지하기 위한 지속적인 모니터링 및 개선 노력이 필요하며, 적합한 검체의 선택 및 적절한 채취 과정의 준수도 필수적이다.

아래 표에는 민감도, 특이도, 진단검사 전 추정감염가능성, 진단검사 결과가 음성인 경우의 감염 가능성 등을 민감도 70%인 진단검사와 민감도 90%인 진단검사로 나누어 제시하였다.

Sensitivity (%)	Specificity (%)	Pretest probability (%)	Post-test probability (%), negative test	Post-test probability (%), positive test
70	95	5	2	44
70	95	15	5	73
70	95	25	9	81
70	95	50	24	94
70	95	75	48	98
90	95	5	0	50
90	95	15	2	77
90	95	25	3	85
90	95	50	10	95
90	95	75	23	98

4. SARS-CoV-2 분자진단검사 위양성의 이해

진단검사의 속도를 증가시키고 전체적인 검사의 효율을 높이기 위한 노력도 필요하지만, 공중보건위기상황의 검사실에서는 오염의 가능성에 집중적으로 대비하여야 한다.

SARS-CoV-2 진단검사에 주로 사용되는 상기도 검체 및 하기도 검체의 경우 특히 취급에 많은 주의가 필요하다. 위양성 사례가 발생하는 경우 감염되지 않은 사람을 감염자로 분류하여 격리 및 입원 등의 불필요한 조치를 받게 하며, 밀접접촉자들에 대한 불필요한 검사들이 다량으로 진행되게 만든다.

검사실에서는 SARS-CoV-2 분자진단검사에 음성대조 및 양성대조를 반드시 포함하여야 하고 표준 업무지침서를 예외 없이 엄격히 준수하여야 한다. 검체, 시약, 검사실 환경 등에 대한 지속적인 모니터링은 필수적이다.

2020년 초반에 유럽 8개국의 10개 검사실에서 SARS-CoV-2 검출에 쓰이는 6개 회사의 상업적인 시동체(primer)와 탐색자(probe)의 오염이 보고되어 공중보건 위기상황에서의 분자진단검사의 대규모 오염 사례로 회자되고 있다.

판독의 결과에 미결정을 포함하는 것이 바람직하다. 명확하지 않은 결과를 음성 또는 양성의 이분법에 얽매여 해석하는 것은 바람직하지 않다. 아래 그림은 SARS-CoV-2 실시간 핵산증폭검사 데이터의 예시이다. 그림에서 가장 반응이 약한 그래프를 보이는 검체에 대해서 어떻게 판단해야 할까?

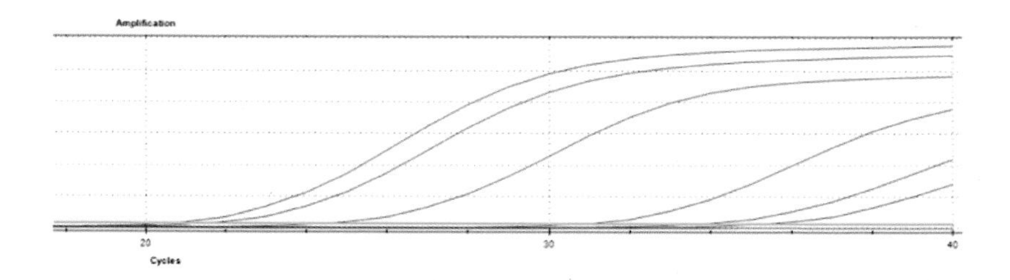

(2020. 6. 24.)

참고문헌

Mogling R, Meijer A, Berginc N, et al. Delayed laboratory response to COVID-19 caused by molecular diagnostic contamination. Emerg Infect Dis [published online ahead of print, 2020 May 20].

U.S. Food & Drug Administration. Policy for diagnostic tests for coronavirus disease-2019 during the public health emergency. Available from: https://www.fda.gov/regulatory-information/search-fda-guidance-documents/policy-diagnostic-tests-coronavirus-disease-2019-during-public-health-emergency.

Woloshin S, Patel N, Kesselheim AS. False negative tests for SARS-CoV-2 infection - challenges and implications. N Engl J Med [published online ahead of print, 2020 Jun 5].

코로나19 치료제 렘데시비어 임상 시험 결과

오명돈
서울의대 내과학 교수

NIH 주도 임상연구를 통해 렘데시비어, 최초의 코로나19 치료제로 인정

미국 국립보건연구원(NIH)이 주도한 렘데시비어 임상시험의 중간 결과가 발표되었다. 이 임상시험은 COVID-19 폐렴 환자 1,063명을 대상으로 렘데시비어 또는 위약을 10일간 투여하였는데, 위약군에 견주어 렘데시비어 치료군에서 회복시간이 31%(15일→11일) 단축되었다.

이 결과를 근거로 5월 1일에 미국 식약처는 렘데시비어를 '중증' 환자(산소포화도 94% 미만, 산소 치료 필요)에게 긴급 사용허가를 승인하였다. 이 연구 결과로 이제 렘데시비어는 COVID-19의 표준 치료제가 될 것이다.

이 연구는 전 세계 10개국, 73개 의료기관이 참여한 다국가, 다기

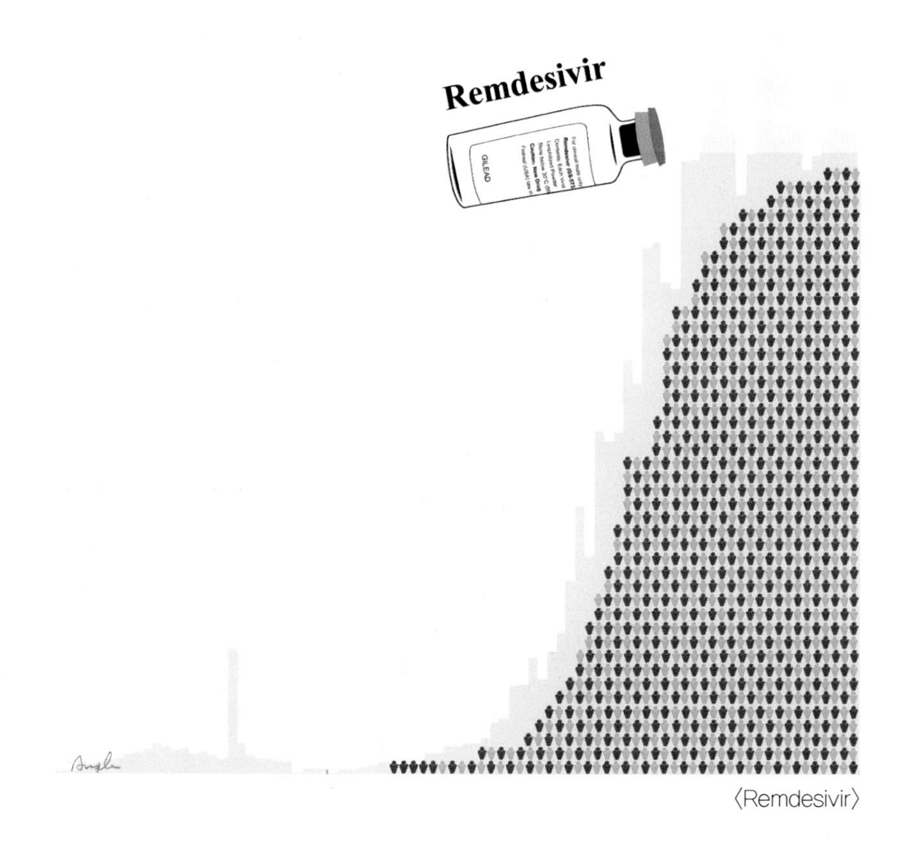

〈Remdesivir〉

코로나19가 폭발적으로 증가하던 2020년 초반, 코로나 치료제로 처음 등장한 remdesivir 임상시험의 중간 결과가 나왔을 때 그린 그림이다. 연구가 진행될 당시 미국의 코로나 확진자 수 그래프의 형태를 배경으로 하여 임상 연구에 참여한 1063명의 사람을 그래프 안에 채워 넣었으며, 붉은 색의 사람 모형이 remdesivir 를 사용한 실험군 (541명), 노란 색이 placebo를 사용한 대조군(521명) 이다. 많은 사람들의 참여로 의미 있는 약의 개발이 가능하게 되었음을 떠오른 약병으로 표현하였다.

관 임상시험이다. 미국에서 45개 의료기관이, 유럽과 아시아에서 28개 의료기관이 참여하였는데, 아시아에서는 한국, 일본, 싱가포르가 참여하였다.

이렇게 많은 기관이 공동연구를 진행하였기에 2월 21일에 환자등록을 개시한 지 2달 만에 1,000명이 넘는 많은 환자를 모집할 수 있었고, 임상시험 가운데 가장 수준이 높은 이중맹검, 위약 대조 연구 디자인으로 렘데시비어의 효능을 평가할 수 있었다.

사실 중국에서 먼저 이 연구와 비슷한 임상 시험이 수행되었다. 중국의 렘데시비어 임상 시험은 후베이 성의 10개 의료기관이 참여하였는데, 중국의 환자수가 급격히 감소하면서 목표 환자수의 절반 정도인 237명을 모집하는 데 그치고 말아, 렘데시비어의 효과를 제대로 평가하지 못하였다.

렘데시비어의 제조회사인 길리어드사가 지원하는 임상시험도 비슷한 시기에 진행되었다. 이 임상시험의 디자인은 위약 군을 두지 않고, 5일 치료 군을 10일 치료 군과 비교하는 임상시험이었다.

이 시험의 결과, 렘데시비어 5일 치료 군과 10일 투여 군의 치료 효과나 부작용이 서로 비슷한 것으로 나왔다. 그러나 위약 대조군이 없기 때문에 그 효과가 위약보다 더 좋은지는 알 수 없다는 한계를 가진 연구이다.

NIH 렘데시비어 임상시험, 기존 연구 한계 극복하여 치료 효과 제대로 평가

미국 NIH의 연구는 위 두 연구의 한계를 모두 극복하여, 렘데시비어의 치료 효과를 확실하게 평가할 수 있었다는 점에서 매우 중요하다. 특히 국가연구기관이기에 치료 효과가 어느 쪽으로 나오는지에 상관없이 확실한 결론을 얻을 수 있는 이중맹검, 위약 대조 디자인으로 임상시험을 추진할 수 있었다.

이는 왜 공공기관이 임상 연구를 수행해야 하는지를 웅변으로 입증하는 사례라고 하겠다. 우리나라도 이러한 임상 연구를 수행할 수 있는 국가 시스템을 갖추는 일이 시급하다.

또한, 이 연구가 진행되던 기간 동안은 미국에서 코로나19 유행곡선이 매우 가파르게 올라가던 시기였고, 연구에 참여한 많은 의료기관에서는 몰려드는 환자를 돌보느라 연구에 할애할 시간이 부족하고, 검체 채취 기구가 동이 나거나, 의료인들이 개인 보호구를 제대로 공급받지 못하는 매우 어려운 상황에 처해 있었다.

이렇게 어려운 여건 하에서도 임상시험을 수행하여 렘데시비어가 환자의 회복에 도움이 된다는 확실한 결과를 얻었다는 것은 높이 평가해야 할 업적이다.

이 연구에서 제14일에 측정한 치사율은 위약 군에서 11.9%, 렘데시비어 군에서 7.1%였으나 그 차이는 통계학적으로 의미가 없었다. 만일에 치사율이 35% 감소되는 결과를 증명하려면(예, 치사율 10%→6.5%, 통계 power 85%, type 1 error 5%), 사망에 도달한 수가 최소 200명이 필요하고, 따라서 2,000여 명의 시험 참가자를 모집해야 한다.

그러나 이렇게 많은 환자를 임상시험에 모집하는 일은 현재 팬데믹 상황에서 불가능하다고 판단했기 때문에, 애초 연구 디자인 단계부터 치사율 감소는 1차 결과 평가 항목에 포함되지 않은 것이다.

그 대신 환자 상태가 회복되는 것을 치료의 1차 결과 평가 항목으로 설정하였다. 이 연구에서 환자의 상태는 다음과 같이 8가지로 구분하였다.

(1)입원하지 않음, 활동 지장 없음
(2)입원하지 않음, 활동 지장 있음 +/- 집에서 산소 필요
(3)입원함, 산소 필요 없음+진료 필요 없음(격리가 필요해서 입원 중인 사례)
(4)입원함, 산소 치료 필요 없음+진료 필요함(COVID-19 관련 또 다른 의학적 상황으로)
(5)입원함, 산소 치료가 필요함
(6)입원함, 비침습 호흡, high flow O_2 devices
(7)입원함, 기계호흡, ECMO
(8)사망

여기에서 임상시험에 참여하는 기준은 (5), (6), (7) 상태에 있는 환자이며, 렘데시비어 치료 개시 후 (1), (2), (3)에 도달하면 회복으로 정의하였다. 따라서 회복된 환자는 퇴원이 가능하거나 입원해 있더라도 산소 치료가 필요 없는 상태이다.

이런 회복이 15일→11일로 4일 단축되었다는 것은 인공호흡기나 중환자실, 산소와 같은 의료 자원이 그만큼 더 많아지는 효과가 있으므로, 의료 시설과 기구가 절실히 필요한 팬데믹 상황에서는 매우 의미 있는 효과라고 하겠다.

렘데시비어의 치료 효과는 아직도 개선의 여지가 남아 있다. 항 HIV 치료제 개발의 역사에서도 첫 치료제가 나온 이후에는 그 약물을 꾸준히 개선하여 더욱 안전한 많은 치료제가 개발되었던 전례

가 있다.

그러므로 이번 렘데시비어 임상 시험은 proof of concept를 제공하였고, 앞으로 이 약이 타깃으로 하는 RNA-dependent RNA polymerase를 더 잘 억제하는 제2세대, 제3세대 약물이 나올 것으로 기대한다. 또한 바이러스 증식 과정의 다른 부위를 타깃으로 하는 항바이러스제와 인체의 면역기능을 조절하는 약제들도 앞으로 개발될 것으로 기대한다.

(2020. 6. 8)

코비드19 확진자가 재(再)감염될 수 있는가?

박완범
서울의대 내과학 교수

"코비드19를 한 번 앓으면 다시 걸리지 않는가?"

이런 질문을 많이 받는다. 코비드19로 한 번 고생을 했는데 또 걸릴 수 있다면 무서운 이야기가 아닐 수 없다. 개인 차원의 문제뿐만이 아니다. 만약 재감염이 가능하다면, 퇴원한 확진 환자에 대한 추적 검사 방침도 달라질 수 있고 방역 대책 역시 크게 영향을 받는다. 더 나아가 백신 개발에 대한 전망도 어두워진다. 자연면역으로도 재감염이 생긴다면 백신 면역이 감염을 막을 수 있겠는가?

코비드19는 베타코로나 바이러스 중 하나인 SARS-CoV-2에 의해 발생한다. 사람에게 병을 일으키는 코로나 바이러스는 총 7개로 MERS, SARS, SARS-CoV-2 이외에 HCoV-229E, OC43, NL63, HKU1은 계절성 또는 풍토성 코로나 바이러스(seasonal or endemic coronavirus)로 이전부터 겨울철 감기의 원인 바이러스로 알려져 왔다.

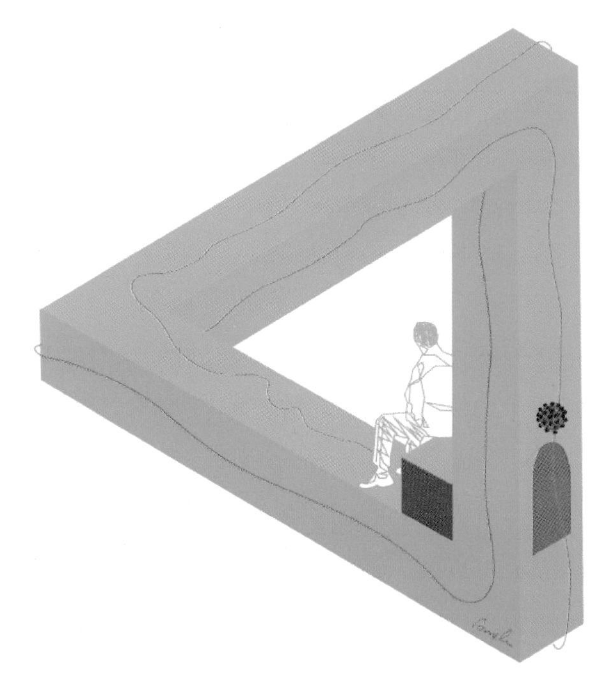

〈Going back to square one?〉

코로나19 재감염 가능성에 대해 논의한 글에 대한 그림이다. 사람이 앉아 있는 삼각형은 펜로즈 삼각형 (Penrose triangle) 으로, 삼각형 표면을 계속 따라가면 멀리 간 듯 해 보이지만 입체 삼각형의 모든 면이 이어져서 계속 제자리로 돌아오게 된다. 코로나19를 겪은 후 휴식을 취하는 사람 앞에 있는 선을 따라가면 결국 다시 코로나19 바이러스를 만나게 되는 방식으로 코로나19의 재감염을 표현하였다.

코로나 바이러스는 B형간염 바이러스나 거대세포 바이러스처럼 잠복 감염(latent infection)을 일으키는 바이러스가 아니기 때문에 이전에 앓았던 코로나 바이러스가 체내에 잠복했다가 재발하는 상황은 생각하기 어렵다.

하지만, 계절성 코로나 바이러스는 면역감퇴(waning immunity)나 종의 변이(genetic drift)에 의해 재(再)감염될 수 있다는 것이 잘 알려져 있기 때문에, 코비드19의 재감염을 걱정하는 것은 당연하다.

2020년 4월 18일 중앙방역대책본부 정례 브리핑에서 코로나19 격리해제 후 다시 양성으로 판정된 재(再)양성 사례는 전국적으로 총 163건이며, 격리 해제자의 2.1% 수준인 것으로 보고하였다. 하지만, 전문가들은 이러한 재양성 사례는 재감염은 아닌 것으로 판단하고 있다. 그 이유는 다음과 같다.

첫째, 현재 코비드19 진단을 위한 검사 방법은 바이러스 입자 자체를 검출하는 것이 아니고 바이러스의 RNA 유전자를 실시간 중합 효소 연쇄반응(real-time PCR)으로 검출하는 것이다. 따라서 증식 가능한 바이러스 없이 유전자 찌꺼기만 있어도 검사는 양성으로 나올 수 있다. 코비드19에서 회복되어 퇴원한 후 전혀 증상이 없는 상태에서도 약 한 달까지도 유전자 검사는 양성이 지속될 수 있다는 사실이 코비드19 팬데믹 초기에 이미 잘 알려졌다.

둘째, 질병관리본부에 따르면 재양성 검체를 수집하여 배양검사를 하였을 때 바이러스 배양이 되지 않았으며, 재양성자와 접촉한

294명 중 2차 감염이 확인되지 않았다.

셋째, 재양성자의 혈액에서 항체 검사를 해보면 재양성 당시 이미 항체가 형성되어 있어 재감염이 생길 면역상태가 아닌 것을 알 수 있다. 이러한 증거를 종합하면, 국내의 재양성자 중 재감염 환자는 매우 드물 것 같다.

그렇다면 코비드19 재감염은 불가능한가? 그렇지는 않다. 이론적으로 재감염이 가능한데 그 이유는 다음과 같다.

첫째, 면역력에 문제가 있는 환자는 코비드19를 앓더라도 면역이 유도되지 않아 재감염될 가능성이 있다. 설사 면역력에 문제가 없는 건강한 정상인도 가볍게 병을 앓으면 면역력이 생기더라도 미약할 수 있다.[1] 임상적으로 가볍게 앓고 회복한 환자의 6%에서 중화항체가 생기지 않았다는 보고도 있다.[2]

둘째, 코비드19에 의해 생긴 면역이 시간 경과에 따라 약화되어 재감염의 위험에 노출될 수도 있다. 코비드19에 의해 생긴 면역이 언제까지 지속될지에 대해서는 아직 모르지만, SARS, MERS 코로나 바이러스의 경우 시간이 흐름에 따라서 항체가가 감소하여 2~3년 후에는 미미한 수준의 항체만 유지된다.[3] 계절성 코로나바이러스의 경우 방어면역이 6~12개월 지속되는 것으로 보인다.[4]

셋째, 전 세계적으로 바이러스가 유행하면서 바이러스의 유전자형이 지역에 따라서, 그리고 시간에 따라서 조금씩 달라지고 있다. 예를 들어, 2020년 2월말에서 3월초 대구 경북 지역에서 유행했던 바이러스는 clade 'V'가 우세했다면 현재 유럽, 북미에 유행하는 clade 'G'는 3월 중순부터 4월 초에 걸쳐 늘어났다. 기존에 생긴 면역력이 변이된 바이러스에 대해서도 작동할지는 변이의 정도에 따라 달라질 수 있을 것이다.

하지만 설사 코비드19에 의한 재감염이 생긴다고 하더라도 재감염 환자는 기존에 형성된 면역에 의해 가볍게 앓고 지나갈 가능성이 높다(Kiyuka, Agoti et al. 2018).[5)6)]

결론적으로, 코비드19에 의한 재감염은 이론적으로 가능하지만 현재 상황에서 매우 드물며 설사 재감염이 생기더라도 가벼운 증상으로 지나갈 가능성이 높아 코비드19 재감염에 대한 과도한 걱정은 불필요하다.

(2020. 7. 29)

1)Choe, P. G., et al. (2020)."Antibody Responses to SARS-CoV-2 at 8 Weeks Postinfection in Asymptomatic Patients."Emerg Infect Dis 26(10).

2)van der Heide, V. (2020)."Neutralizing antibody response in mild COVID-19."Nat Rev Immunol 20(6): 352.

3)Kellam, P. and W. Barclay (2020)."The dynamics of humoral immune responses following SARS-CoV-2 infection and the potential for reinfection."J Gen Virol.

4)Kissler, S. M., et al. (2020)."Projecting the transmission dynamics of SARS-CoV-2 through the postpandemic period."Science 368(6493): 860-868.

5)Kiyuka, P. K., et al. (2018)."Human Coronavirus NL63 Molecular

Epidemiology and Evolutionary Patterns in Rural Coastal Kenya."J Infect Dis 217(11): 1728-1739.

6)Lan, L., et al. (2020)."Positive RT-PCR Test Results in Patients Recovered From COVID-19." JAMA.

코로나19 중환자 급증 위기 상황에서 의료자원 배분의 원칙, 분류 시스템 도입과 중환자실 관리 방안

조영재
분당서울대학교병원 호흡기내과 교수

코로나19 판데믹이 본격적으로 세계화되면서 우리나라도 현재 3차 유행에 직면하고 있고, 이번 3차 유행은 기존과 달리, 확진자 수의 규모 및 각종 고위험 시설에서의 집단감염 증가로 인해 향후 우리나라 중환자 진료의 역량이 시험대에 오른 상황이다.

그동안 정부와 학계, 그리고 일선의 현장에서 많은 노력을 했음에도 불구하고 코로나19 중환자 급증 위기(Surge crisis)에서는 백약이 무효하고 지금까지와는 달리 대처 방법에 대해 고민이 필요하다.

특히 병상의 공급이 발생하는 중환자 수요를 따라가지 못하는 상황에서 일선의 현장에서는 그야말로 아비규환인 사례들도 발생하고 있는바, 이에 본 기고에서는 최근 국내, 미국, 유럽 등에서 급증 위기에 따른 의료자원 배분과 중환자 분류에 관한 3가지 논문을 인용 또는 요약해 보고자 하였다.

국문 논문의 경우 최대한 원저자의 내용을 살리되 일부 사례만 추가로 덧붙였고, 영문 논문의 경우 실제 실행 가능성을 고민하는 데 도움이 될 수 있도록 국내 현실을 고려하여 일부 용어만 수정하였다.

I. 자원 부족 상황에서 의료자원 배분에 관한 원칙 [1)]

1. 보건의료 시스템은 사람들이 삶을 영위하고 사회적 기능을 유지하는 데 반드시 필요한 건강 문제와 직결된다.

그런데 어떤 개인이 건강하지 못하다면 기회나 능력의 불평등 또는 심각한 사회적 하락을 야기하기 때문에 일반적으로 보건의료 자원은 그 배분에 있어 개인의 경제력에만 맡기기 어려운 성격을 내재하고 있다.

그렇기 때문에 코로나19 판데믹 3차 유행이 현실화된 작금의 상황에서 특히 중환자실 병상과 인공호흡기의 배분은, 현재의 시장경제 시스템을 통한 배분만으로는 충분할 수 없는, '정의'의 문제이기도 하다.

2. 그럼에도 불구하고 명시적 배분 지침 없이 개별 의료진이 자체적으로 결정하도록 방치해 두고자 할 수 있다. 코로나19 판데믹 이전에도 평균적인 중환자실 수요가 그 공급을 초과하는 경우는 빈번히 있어 왔던 일이었고, 지금까지는 실제로 크게 사회적인 문제가 된 적은 없었기 때문이다.

하지만 코로나19 판데믹 상황에서 이러한 개별화된 암묵적, 자체적 배분은 수요가 공급을 크게 상회할 경우 그 결정에 따라 의료자원을 제공받지 못한 사람들의 정당한 항의에 직면하게 되고 이를 실제 현장의 의사가 모두 해결하는 것은 현실적으로 불가능하다.

동시에 필연적으로 현장의 의료인들은 의료 자원을 제공받지 못할 이들에 대한 기존 의료 전문 직업성에 따른 윤리적 의무와 상충되는 상황과 도덕적 긴장 상태를 겪게 되고 그 결과 전체 발생 환자들을 종합적으로 판단하지 못하고 우선순위를 세우지 못함으로써 분명히 살릴 수 있는 다른 사람들의 사망을 초래할 수도 있다.

게다가 사회적 논의가 없는 개별화된 암묵적, 자체적 배분은 기존의 사회경제체제 내에서 더 나쁜 상황에 처해 있는 사람들에게 숨겨진 차별과 배제가 작동하게 될 경우 더 부당한 불이익을 초래할 수도 있다.

3. 이러한 상황에 가장 일반적으로 적용되는 "최대 다수의 최대 행복"이라는 익히 잘 알려진 다수 구조의 원칙은 단순히 공리주의에만 기반을 두고 있는 윤리적 원칙은 아닐 수 있으며, 개개인의 권리를 기반으로 한 논의로도 다수 구조의 원칙은 충분히 공정할 수 있다.

특히, 공리주의가 아닌 권리 기반의 견해가 구분하는 중요한 이유는 자원 배분이라는 이슈가 지닌 이해관계 상충의 문제를 정확히 파악할 수 있다는 점 때문에 더 그러하다.

실제 배분의 상황에서 가장 중추적인 도덕적, 정치적 문제는 중환자실 또는 인공호흡기를 받게 되는 사람들과 받지 못하는 사람들 사이에 벌어지는 이해 충돌을 어떻게 합리적이고 공정하게 풀

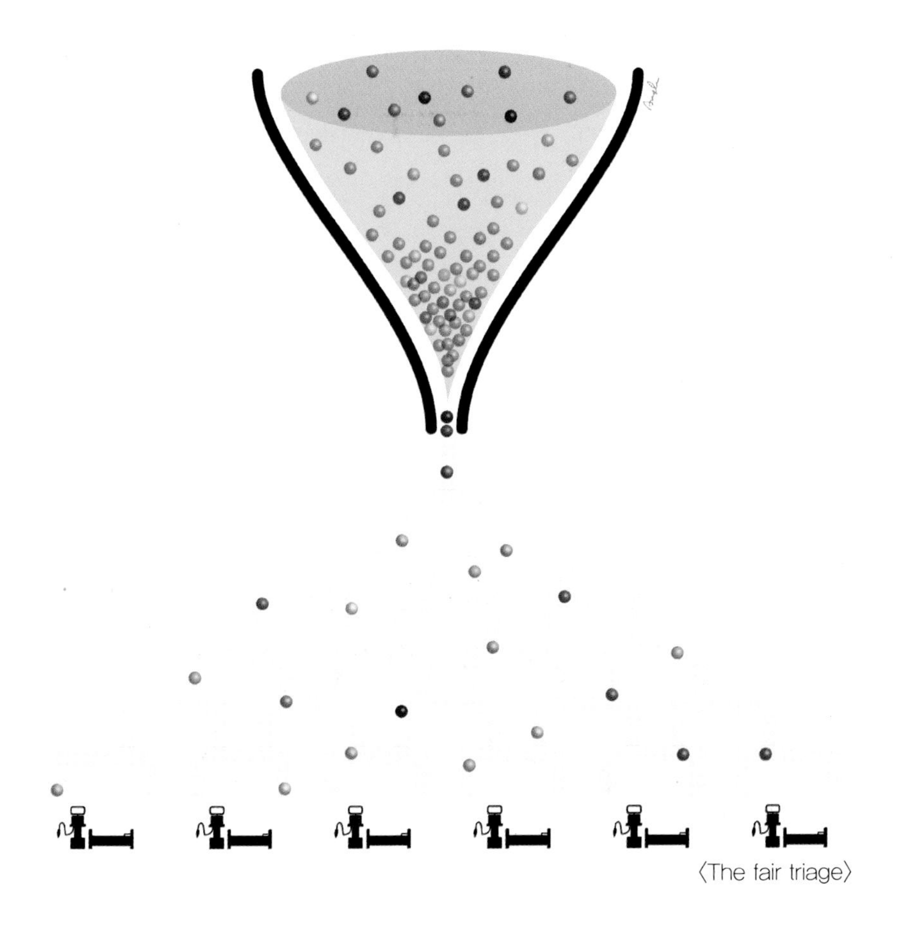

〈The fair triage〉

코로나19 중환자 급증에 따른 의료 자원 배분 및 중환자 분류를 논의한 글에 대한 그림으로, 공정한 배분을 위해서는 고려할 여러 가지 기준들을 다양한 색의 공으로 표현하였으며, 여러 기준들이 조율되어 자원의 공정한 분배가 이루어짐을 각각의 공이 깔때기를 통과하여 인공호흡기로 분배되는 모습으로 표현하였다.

어내는지에 달려 있는 경우가 많다.

4. 하지만 기존의 다수 구조의 원칙 외에도 연령, 장애 및 중증도, 배분 대상자가 의료 인력인지의 여부 또는 타인에게 혜택을 주는 이들인지의 여부, 건강 및 사회경제적 불평등 등과 같은 기타 여러 요소들이 다수 구조의 원칙과 동시에 논의되어야 한다.

단적인 예로 연령에 있어서는 그 자체를 기계적으로 배분 지침에 사용하기보다는 회복 후 여명이 매우 많이 남는 이들에게 가중치를 주는 방식을 통한 간접적인 고려가 비교적 합리적일 것으로 생각할 수 있고, 장기적인 삶의 질을 자원 배분에 고려하게 되면 장애인을 차별할 수 있다는 문제 제기도 일견 타당하기에 오히려 더 단순화된 생명-연수(life-year)만 배분 결정에 고려함이 정당화될 수도 있다.

이에 대한 더 자세한 논의는 지면 관계상 참고문헌 1)을 추천하는 것으로 대신한다.

5. 초기 배분 문제와는 별개로, 이미 중환자실에서 인공호흡기를 사용하고 있는 사람들로부터 이를 빼앗아 더 우선순위가 높은 환자들에게 배분하는 것인 정당한가 하는 문제도 있다. 이러한 재배분을 위해 기존의 자원을 배분받은 이들을 모두 포함하여 어떤 환자가 더 자원을 우선적으로 배분받아야 하는지 재평가가 반복적으로 이루어지게 되는데(triage) 이를 제대로 하지 못한다면 결국, 선착순(first-come, first service)으로 의료자원을 배분하는 것과 크게 다르지 않은 결과가 나올 수 있다.

또한, 코로나19 팬데믹 상황에서 코로나19가 아닌 중환자들에게는 어떻게 자원을 배분해야 하는지도 여전히 문제가 되고 있다.

모든 중환자 병상과 인공호흡기가 코로나19 환자들에게만 배분되어야 할 어떠한 도덕적인 이유는 없다.

하지만 또 한편으로 당장 생명에 직접적으로 연관되지 않은 수술을 받음으로써 그 수술 이후 중환자실을 배분받아야 할 비코로나19 환자와 작금의 상황에서 반드시 살릴 수 있는 코로나19 중환자가 서로 마지막 남은 인공호흡기의 배분을 경쟁해야 한다면 역시 또 다른 이해 상충이 발생할 수밖에 없다.

윤리적 의사결정 가이드를 위한 실질적 가치
• Individual Liberty 개인의 자유 • Protection of the public from harm 피해로부터 대중의 보호 • Proportionality 비례 • Privacy 프라이버시 • Duty to provide care 치료제공의 의무 • Reciprocity 호혜 • Equity 평등 • Trust 신뢰 • Solidarity 연대 • Stewardship 적정한 관리
윤리적 의사결정 가이드를 위한 절차적 가치
• Reasonableness 합리 • Transparency 투명 • Inclusiveness 포용 • Responsiveness 대응 • Accountability 책임
분류를 고지하는데 있어 가능한 윤리적 원칙
• Utilitarian: "greatest good for the greatest number" 공리주의: "최대 다수의 최대 행복" • Egalitarian: "allocation based upon need" 평등주의: "필요를 기반으로 한 할당" • Libertarian: "protection of individual liberty & patient choice" 자유주의: "개인의 자유 및 환자 선택의 보호" • Communitarian: "respect for social & cultural values" 공동체주의: "사회 및 문화적 가치에 대한 존중" • Life cycle: "fair innings or years life saved" 수명주기: "공정한 이닝 또는 수명 절약"

6. 2차 유행이 끝났을 때 이러한 논의가 더 활발하게 이루어졌으면 좋았겠지만, 지금이라도 어떤 방식이든 우리 국민들이 더욱 우선시하고 중요하게 생각하는 가치를 적절히 배분 결정에 반영할 수 있는 방법을 찾아야 하고 이를 위해서는 앞으로 여러 관련 단체들과 시민들, 이해당사자들 간에 다음의 내용들을 토대로 충분한 토론과 사회적 합의가 반드시 필요하다.

II. 코로나19 팬데믹에서 부족한 중환자 치료 자원의 분류 시스템 지역 할당을 위한 구현 가이드[2] (미국 학회 연합 전문가 패널 보고서 중 일부 인용 정리)

중환자 수요와 공급의 균형을 잡기 위한 급증 위기 상황에서의 분류(Triage) 시스템의 역할은 아래 표에서 잘 제시되어 있다. 원 그림을 살리기 위해 번역은 생략하였다.

실제로 국가 또는 지역 단위에서 위기 급증 시 중환자 분류 시스템을 구현하기 위한 운영 단계는 다음과 같이 표로 정리될 수 있고 그 구체적인 조직(triage infrastructure)은 다음 그림과 같다.

제안된 특정 작업	책임 있는 이해당사자
1. 수요급증에 대한 잠재적인 중환자실 자원 재고 A. 인공호흡기 및 병상 B. 중환자 치료인력 C. 치료를 위한 소모품 및 공간	개별 의료기관
2. 분류 시스템이 개시될 방아쇠(trigger) 식별 A. 분류 개시는 지역별 의료 수요 상황에 따라 보건의료 행정당국 혹은 책임부서를 통해 결정 B. 분류는 문서화된 원칙을 기반으로 전 지역에 거쳐 동등하게 적용	보건의료 행정당국 혹은 책임부서 질병청 등의 권위기관

3. 분류 시스템 준비 A. 의사 조정과 표준을 담당할 핵심 이해당사자들 (의사 대표, 간호사 대표, 윤리전문가, 법조인, 환자 대표, 지역사회 시민 대표 등)이 모두 포함된 중앙 분류 위원회 조직 B. 기관 고등 심사 팀을 구성하고 지원 C. 표준화를 위해 교육 자료를 준비하고 배포	보건의료 행정당국 중환자실이 있는 해당 의료기관
4. 증분 혜택을 가장 많이 받는 환자들에게 자원을 배분하는 분류 프로토콜에 대한 합의	보건의료 행정당국 중환자 전문, 유관 학회 모든 관련 이해당사자들
5. 연명의료수단의 제한을 허용하는 변화에 대한 숙의 및 분류 정책에 따라 행해진 결정에 대한 소송 시 배상 방안	보건의료 행정당국 법조계
6. 치료 기준 A. 수정된 말기 연명의료 제공 및 동의 면제 B. 침습적 치료 철회 후 가장 적합한 추가적인 치료 제공 C. 명시된 임상진료지침 D. 표준화된 의사소통 도구	지역 의사회 중환자 및 완화의료 학회
7. 가족 및 사회적 기준 A. 분류 프로세스에 대한 투명성 B. 정보를 쉽게 사용할 수 있는 대중과의 의사소통 계획 C. 임종기 동안, 특히 소아에 대한 가족의 영속성을 보전 D. 슬픔에 잠긴 가족에 대한 지원	사회복지, 정신건강, 완화의료 제공기관 (필요 시 코로나19 호스피스 서비스의 제도화 별도 고려)
8. 의료인력 지원 A. 조직적인 의사소통 B. 팀 기반의 협동적인 분류 의사결정 C. 의료인력에 대한 체계적인 지원방안 마련	보건의료 행정당국 중환자 전문 학회 개별 의료기관
9. 소아 환자에 대한 고려사항 A. 필수 소아의료가 유지될 수 있도록 소아센터에서 집중치료 B. 급증 상황에 따라 필요시 소아청소년과 진료 연령의 상향 조정	지역 의사회

III. COVID-19 위기 동안 중환자실 급증 관리 권고 사항[3)4)]

다음 긴급 지침의 목적은 COVID-19 환자를 돌보는 중환자실 조직 관리에 대한 권고에 관한 내용이다. 이는 개별 중환자 치료에 대한 임상 지도를 제공하는 것은 아니며 대량 중환자 발생 또는 급증 대응에 관한, 이미 발표된 고품질의 기존 조언을 반복하고자 하는 것도 아니다. 이 긴급 지침은 다른 곳에서 해결되지 않은, COVID-19 중환자 급증 요구에 어떻게 대처할 것인지, 주요 질문에 대한 답변에 특히 중점을 두었고 그 핵심 사항만 정리하였다.

향후 이를 바탕으로 우리나라 코로나19 중환자 급증 상황에 대한 현실적인 대처 방안이 논의될 수 있기를 바란다.

1. 위기 급증 대응 계획

1.1. 중환자 치료에 코로나19는 어떤 부담이 되는가? (코로나19 판데믹 동안 중환자실을 준비해야 하는 기관에 대해)

1.1.1. 입원 성인 코로나19 확진 환자 5명 중 1명이 ICU 입원이 필요할 것이라는 점을 고려하여 계획 및 자원 할당을 제안

1.1.2. 중환자 치료에 들어갈 자원(직원 Staff, 공급 Supply, 공간 Space)의 양을 계획할 때 중환자실 재원 환자의 70%가 비침습 환기 또는 고유량 비강산소 등을 포함한 어떤 종류든 환기 보조가 필요하며, 특히 50% 이상의 환자는 침습적 환기 보조가 필요할 것이라는 가정하에 준비할 것을 제안

1.2. 전체 인구집단에서 코로나19 중환자 급증 정점을 관리하는데 필요한 인공호흡기와 중환자 병상의 예상 숫자는?

(기본적으로는 수학적 모델링을 사용하여 필요한 용량 계획을 지원한다는 전제)

1.2.1. 유행의 경과를 가능한 한 빨리 예측

1.2.2. 모델링은 실용적이어야 하고 다음과 같은 급증 용량에 대한 적절한 질문에 초점이 되어야 함 : 주어진 날짜에 병원과 중환자실 자원이 필요한 환자는 얼마나 되는가?

1.2.3. 예측은 최상의, 하지만 가장 나쁜, 그리고 가장 가능성이 높은 시나리오를 모델링해야 하고, 동시에 다른 통계적 접근법을 사용하면서 그 결과를 비교할 수 있어야 함.

1.2.4. 다른 국가나 환경에서 확산 속도 ; 기대되거나 또는 관찰된 입원율, 중환자실 필요 비율, 인공호흡기 필요 비율, ECMO 필요 비율 ; 증례 사망률 ; 예상되는 인공호흡기 적용, 중환자실 및 병원 재원 기간 등의 정보를 알 수 있다면 예측 모델링에 도움이 되며, 바이러스의 감염 재생산지수(R_0) 역시 고려해야 함.

1.2.5. 모델은, 실제적 또는 이론적이든, 사회적 거리 두기에 따른 지연 효과의 영향, 사례 감지까지 걸리는 지연 효과의 영향을 통합적으로 고려해야 함.

1.2.6. 일단 급증 정점에 도달하면 모델링을 통해 급증의 출구 전략을 계획하고 가능한 한 빨리 다음 정점을 감지하기 위해 새로운 데이터를 지속적으로 모니터링해야 함.

1.3. 코로나19 중환자 급증기간 동안 기도 삽관이 된 중환자실 환자를 관리하는 데 필요한 예상되는 소모품과 장비는 무엇인가?

1.3.1. 병원은 대유행 기간 동안 중환자에게 치료를 제공하는 데 필요한 소모품 및 장비 목록을 개발하고 예상되는 중환자실 요

구 사항에 따라 잠재적인 부족을 식별할 수 있어야 함. (특히 공급망이 중단되기 전에 필요한 소모품과 장비를 조기에 보충, 비축하는 것이 필요하고 대안을 찾기 위해 노력해야 함. 다른 지역의 기관들과 협력함으로써 병원에 필요한 소모품의 최적 배분을 보장받을 수 있음.)

(2020. 12. 30)

1)이경도. 코로나 19로 인한 자원 부족 상황에서 의료 자원의 배분 정의. 한국의료윤리학회지 2020; 2(3):145-169.

2)Maves RC et al. Triage of Scarce Critical Care Resources in COVID-19 An Implementation Guide for Regional Allocation. CHEST 2020; 158(1):212-225.

3)Aziz S et al. Managing ICU surge during the COVID-19 crisis: rapid guidelines. Intensive Care Med (2020) 46:1303-1325.

4)감염병 유행 시 거점병원 중환자실 프로토콜. 대한중환자의학회. 2020

글로벌 COVID-19 백신 개발 경쟁 ; 지금 우리는 어디까지 왔나?

이철우(Chulwoo Rhee), 안 워텔(T. Anh Wartel),
제롬 김(Jerome H. Kim)
국제 백신 연구소(International Vaccine Institute)

서론

SARS-CoV-2 바이러스의 전 세계적 대유행은 1년 넘게 지속되고 있으며,[1] 지역사회 및 국가 간 전파를 통해 지속되면서 그 유행의 끝은 아직 보이지 않고 있다. 세계보건기구에 따르면 2021년 5월 현재까지 코로나19는 1억 명 이상의 감염자와 수백만 명의 사망자를 초래하였으며, 헤아릴 수 없는 삶의 붕괴와 막대한 사회경제적 손실을 일으켰다.[2)3)] 기저 질환이 있는 노인 인구 및 사회경제적 지위가 낮고 필수 의료서비스에 대한 접근성이 떨어지는 집단이 이 치명적인 바이러스에 가장 취약한 것으로 알려져 있다.[4)5)] 이 감염병의 유행 통제를 위해서는 신규 감염을 효과적으로 예방해 줄 코로나19 백신이 필수적이다. 안전하고 효과적인 백신의 개발은 코로나19 유행 초기부터 전 세계적으로 가장 시급한 보건학적 과제 중

하나였다.[6] 통상적으로 백신 개발에는 5년 이상 시간이 소요되었던 반면에, 코로나19 백신은 전 세계적인 대유행이라는 상황 하에서 1년 이내로 개발 기간이 단축되었으며, 현재 이미 긴급사용승인을 받은 몇몇 백신들이 일반 인구 집단을 대상으로 접종되고 있다.

1. mRNA 백신(mRNA Vaccine)

mRNA 백신은 현재까지 개발된 코로나19 백신들 중에서 가장 각광을 받고 있는 백신 플랫폼 기술로 항원 유전자를 RNA 형태로 주입해 체내에서 항원 단백질을 생성하여 면역반응을 유도하는 백신 기술이다. 대표적인 백신으로는 화이자/바이오엔텍과 모더나 백신이 있다. 화이자 백신의 3상 임상시험에서는 16세 이상 남녀 총 43,448명을 대상으로 1:1의 비율로 시험약 또는 위약 대상군으로 배정하여 21일 간격으로 총 2회 접종을 시행하였으며, 중간분석 결과 95%의 코로나19 1차 예방효능을 확인할 수 있었다.[7] 위약을 접종받은 군에서는 162건의 코로나19 감염증이 발생한 반면, 시험약을 접종받은 군에는 단 8건의 코로나19 감염증이 발생하여 백신의 예방효능을 입증하였다. 화이자 백신은 중간결과를 기반으로 US FDA, 유럽 EMA 등과 같은 규제기관에서 긴급사용승인을 받았으며 세계보건기구의 긴급사용목록에서도 등재되어 한국을 포함한 다수의 국가에서 현재 접종이 이루어지고 있다.[8][9] 모더나 백신 또한 임상시험이 진행되었는데, 3상 임상시험의 경우 18세 이상 남녀 총 30,420명에 대해 1:1의 비율로 시험약 또는 위약 군으로 배정하여 28일 간격으로 총 2회 접종하여 연구가 수행되었다. 위약 군에서는 185건이, 시험약 군에서는 11건의 코로나19 감염증이 보고

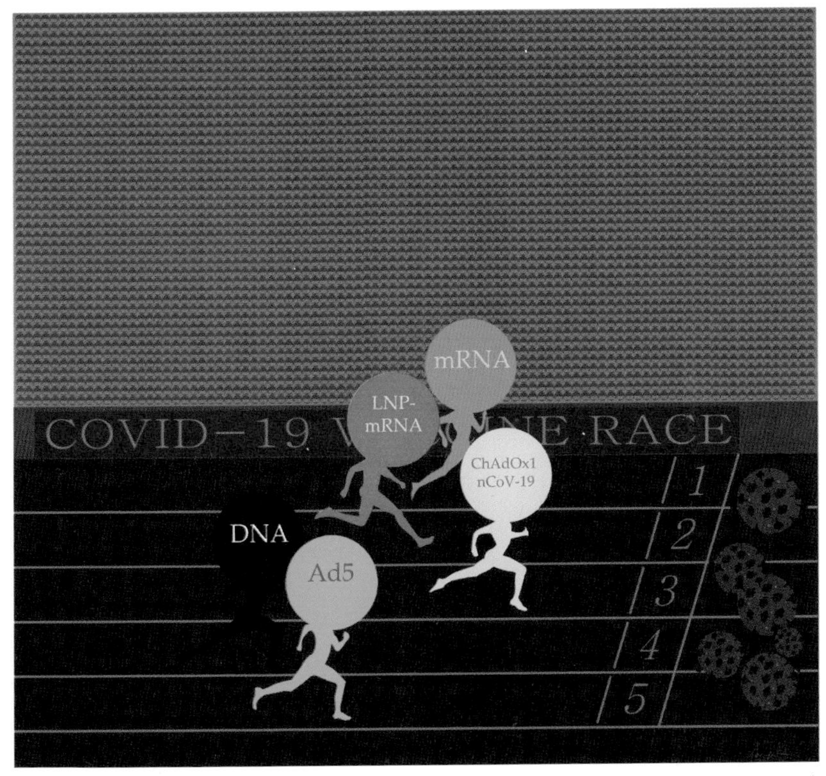

〈COVID-19 Vaccine race 〉

서로 다른 플랫폼으로 개발 중인 코로나19 백신 중 어느 백신이 가장 빨리 목표에 도달할지 경쟁하는 모습을 달리기 경주로 표현하였으며, 마스크를 쓴 수많은 관중들이 이 경주를 지켜 보고 있다.

되어, 중간결과에서 백신의 예방효능은 94%로 나타났다.[10] 모더나 백신 역시 이미 다수의 국가에서 긴급사용승인을 받았다.[11][12] 화이자와 모더나 백신 접종이 진행 중인 미국에서 발표된 백신 유용성(Vaccine Effectiveness) 연구에 따르면, 65세 이상 노인 인구층에서 백신은 코로나19에 의한 입원을 94% 예방하였으며, 단 1회 접종만으로 64%의 코로나19 감염증에 의한 입원을 낮추는 것으로 나타났다.[13]

2. 바이러스 운반체 백신(virus vector vaccine)

바이러스 운반체 백신은 항원 유전자를 다른 바이러스에 실어서 주입하여 체내에서 항원 단백질을 생성함으로써 면역반응을 유도하는 원리를 가지고 있다. 즉, 인체에 무해한 다른 바이러스를 운반체로 활용하여 항원 유전자를 우리 몸속에 주입하기 때문에, 이러한 원리를 활용하는 백신 플랫폼을 바이러스 운반체 백신으로 부르고 있다. 아스트라제네카와 옥스포드 대학이 공동개발한 백신의 경우 침팬지에게만 감염되는 아데노바이러스를 전달체로 활용하는데, mRNA 백신에 비해 상대적으로 열에 의한 변형 가능성이 높지 않아 보관 및 유통 단계에서 초저온 관리를 필요로 하지 않는다. 따라서 이러한 바이러스 운반체 플랫폼 백신은 2~8도 정도의 냉장 시설만으로도 보관 및 유통이 가능하다는 장점이 있다. 아스트라제네카 백신의 3상 임상시험은 영국, 브라질, 남아프리카공화국 등에서 수행되었으며, 중간결과에서 70.4%의 코로나19 감염증 예방효능이 확인되었다.[14] 다만, 임상시험 참가자들이 접종받은 아스트라제네카 백신의 용량이 다소 상이하여, 백신의 예방효능이 낮게는 62.1%, 높게는 90.0%까지 다양하게 나타나 백신의 효능에 대한 정확한 해석이 어려웠던 측면이 있다. 이후 미국 등에서 수행된 3상 임상시험 중간결과에서 코로나19 감염증 예방 효능이 79%로 발표된바 있으며,[15] 스코틀랜드에서 수행된 백신 유용성 연구에서도 코로나19 감염증에 의한 입원 예방효과가 94%에 이르는 것으로 나타났다.[16] 임상시험 3상 발표 초기에 지적되어온 65세 이상에서의 예방효과에 대한 근거 부족은 후속 임상시험 및 유용성 연구들에 의해 해소되었으나, 예방접종 후 드물게 나타나는 혈전 관련 이상 반응들이 보고되면서 국가들마다 접종 연령을 달리하여 권고하고 있다.[17]

바이러스 운반체 플랫폼을 활용하는 또 다른 코로나19 백신 제조사로는 얀센과 가말레야가 있다. 얀센 백신의 경우 아데노바이러스 혈청형 26을 벡터로 활용하는데, 1회 접종만 하면 되는 비교적 단순한 접종 스케줄을 갖고 있는 것이 장점이다. 19,630명의 성인을 대상으로 수행된 3상 임상시험의 중간결과로부터 확인된 얀센 백신의 코로나19 감염증 예방 효능은 66.9%이었다.[18] 러시아 가말레야 연구소가 개발 중인 코로나19 백신은 아데노바이러스 혈청형 5형과 26형을 벡터로 사용하며, 21,977명을 대상으로 수행된 3상 임상시험에서 나타난 예방 효능은 91.6%이다.[19]

3. 단백질 재조합 백신(protein-based vaccine)

단백질 재조합 백신은 유전자재조합 기술을 활용하여 만든 항원 단백질을 직접 우리 몸속에 주입하여 면역반응을 유도하는 백신으로, 이미 백신 개발 시 광범위하게 활용되고 있는 플랫폼이다. 현재 개발 중인 코로나19 백신 중에서도 제조사들이 가장 빈번하게 단백질 재조합 기술을 백신 개발에 적용하고 있다. 다만, 유전자재조합으로 만든 항원 단백질만으로는 예방효능을 나타낼 수 있는 충분한 면역반응을 유도하기 어렵기 때문에 일반적으로 면역증강제가 백신 제형에 포함되는 경우가 많다. 노바백스의 코로나19 백신이 단백질 재조합 백신의 가장 대표적인 예이며, 영국에서 수행된 임상시험을 통해 보고된 코로나19 감염증 예방효능은 89.3%였다.[20] 다만, 변이 바이러스가 유행한 아프리카공화국에서 수행된 임상시험에서는 기존에 발표된 예방효능보다 다소 감소된 것으로 나타났다.[21]

4. 향후 코로나19 백신 개발 동향

전 세계가 코로나바이러스 변이에 주목하는 이유 중 하나는 현재까지 보고된 자료를 토대로 보면 변이된 바이러스가 기존 바이러스에 비해 전파력이 강해졌기 때문이다. 영국, 남아프리카공화국, 브라질, 인도에서 보고된 변이가 지금까지 파악된 주요한 변이로 알려져 있으며, 인도를 포함하여 변이가 보고된 다수 국가에서 최근 일일 확진자 숫자가 다시 급증하고 있다. 이러한 변이가 걱정스러운 또 다른 이유는 변이된 코로나바이러스가 인체 내에서 백신으로 유도되어 있는 항체들과의 결합을 회피할 수도 있기 때문이다.

따라서 바이러스의 변이로 인해 현재 개발되어 실제 접종되고 있는 코로나19 백신들의 효능이 감소할 수도 있으며, 이러한 감소된 백신의 효과는 몇몇 임상시험이나 실험실 연구에서도 반복적으로 보고되고 있다.[18)21] 따라서 변이하는 코로나19 바이러스에 맞춰 새로운 코로나19 백신을 주기적으로 접종해야 한다는 주장도 제기되고 있다.

현재까지 승인된 코로나19 백신들은 모두 성인을 대상으로 사용허가되었으며, 화이자 백신만이 일부 국가에서 청소년에게 접종이 허용되고 있다. 소아 및 청소년 외에도 임산부와 같은 특수 집단 역시 현재 코로나19 백신 접종에서 제외되고 있다. 이는 소아 인구나 임산부를 대상으로 하는 임상시험 데이터가 충분하지 않기 때문이며, 특히 코로나19 백신이 소아 인구, 임산부와 태아에 미치는 안전성에 대한 자료가 추가로 더 필요함을 의미한다.

이를 보완하기 위해서 현재 긴급사용승인을 받은 코로나19 백신들이 소아 또는 임산부를 대상으로 임상시험을 수행 중이며, 이러한 임상시험 결과를 기반으로 보다 광범위한 연령층에서 백신이 접종될 수 있을 것으로 기대한다.

국내 코로나19 백신 개발 현황과 필요성

우리나라 제약사들은 코로나19 백신 개발에 있어 현재 초기 임상시험 단계에 머무르고 있어 여타 글로벌 제약사들에 비해 상대적으로 뒤처져 있는 상황이다. 국내 백신 개발이 더딘 이유 중 하나로 이러한 백신 플랫폼 기술의 부재가 꼽힌 바 있다. 백신 플랫폼이란 특정 항원이나 유전정보 등만을 바꾸어 백신을 개발하는 기술로, 안전성이 검증된 백신 플랫폼이 정립되면 다른 감염병에 대한 백신 개발에 있어서도 기반 기술을 바로 적용할 수 있기 때문에 백신 개발 기간을 크게 단축시킬 수 있다.

우리 정부도 필수접종 백신의 국내 자급화를 실현하고 미래 신종 감염병에 대한 백신 개발을 지원하기 위하여 과학기술·생명공학 및 백신 분야에 대한 다양한 연구개발(R&D) 투자 방안을 발표한 바 있다. 코로나19 확산으로 인해 예방백신 개발의 중요성은 그 어느 때 보다 부각되고 있으며, 백신 자급률을 높여야만 공중보건 위기에 신속하게 대응할 수 있다는 인식 또한 빠르게 자리 잡고 있다. 이제 신종감염병은 단순 질병이 아니라 국가 안보 위협으로까지 인식되고 있다.

이러한 상황에서 '보건 안보'는 물론, 나아가 '백신 주권'까지 확보할 수 있는 백신 플랫폼 기술의 개발 및 백신 자급화는 포스트 코로나19 시대를 대비해야 하는 우리에게 있어서 선택이 아닌 필수다.

(2021. 5. 21)

1)World Health Organization. COVID-19 as a Public Health Emergency of International Concern (PHEIC) under the IHR. Available at https://extranet.who.int/sph/covid-19-public-health-emergency-international-concern-pheic-under-ihr (Accessed on 12MAY2020).

2)World Health Organization. WHO Coronavirus Disease (COVID-19) Dashboard. Available at https://covid19.who.int/ (Accessed on 12MAY2020).

3)World Bank. Global Economic Prospects. 2020. Available at https://www.worldbank.org/en/publication/global-economic-prospects (Accessed on 12MAY2020).

4)Williamson EJ, Walker AJ, Bhaskaran K, et al. OpenSAFELY: factors associated with COVID-19 death in 17 million patients. Nature.

2020 Jul 8. doi: 10.1038/s41586-020-2521-4.

5)US Centers for Disease Control and Prevention. Evidence used to update the list of underlying medical conditions that increase a person's risk of severe illness from COVID-19. Available at https://www.cdc.gov/coronavirus/2019-ncov/need-extra-precautions/evidence-table.html (Accessed on 12MAY2020).

6)World Health Organization. WHO Working Group - Vaccine Prioritization for COVID-19 Vaccines. Available at https://www.who.int/publications/m/item/who-working-group-vaccine-prioritization-for-covid-19-vaccines (Accessed on12MAY2020).

7)Polack FP, Thomas SJ, Kitchin N, Absalon J, Gurtman A, Lockhart S, et al. Safety and Efficacy of the BNT162b2 mRNA Covid-19 Vaccine. N Engl J Med. 2020 Dec;383(27):2603-2615.

8)US Food and Drug Administration. Pfizer-BioNTech COVID-19 Vaccine. Available at https://www.fda.gov/emergency-preparedness-and-response/coronavirus-disease-2019-covid-19/pfizer-biontech-covid-19-vaccine (Accessed on 12MAY2020).

9)World Health Organization. Coronavirus Disease (COVID-19) vaccine EUL issued. Available at https://extranet.who.int/pqweb/vaccines/covid-19-vaccines (Accessedon12MAY2020).

10)Baden LR, El Sahly HM, Essink B, Kotloff K, Frey S, Novak R, et al. Efficacy and Safety of the mRNA-1273 SARS-CoV-2 Vaccine. N Engl J Med. 2021 Feb;384(5):403-416.

11)US Food and Drug Administration. Moderna COVID-19 Vaccine. Available at https://www.fda.gov/emergency-preparedness-and-response/coronavirus-disease-2019-covid-19/moderna-covid-19-vaccine (Accessed on 12MAY2020).

12)European Medicines Agency. EMA recommends COVID-19 Vaccine Moderna for authorisation in the EU. Available at https://www.ema.europa.eu/en/news/ema-recommends-covid-19-vaccine-moderna-authorisation-eu (Accessed on 12MAY2020).

13)CDC COVID-19 Response Team et al. Effectiveness of Pfizer-BioNTech and Moderna Vaccines Against COVID-19 Among Hospitalized Adults Aged ≥65 Years - United States, January-March 2021. MMWR Morb Mortal Wkly Rep. 2021 May;70(18):674-679.

14)Voysey M, Clemens SAC, Madhi SA, Weckx LY, Folegatti PM, Aley PK, et al. Safety and efficacy of the ChAdOx1 nCoV-19 vaccine (AZD1222) against SARS-CoV-2: an interim analysis of four randomised controlled trials in Brazil, South Africa, and the UK. Lancet. 2021 Jan;397(10269):99-111.

15)AstraZeneca. AZD1222 US Phase III trial met primary efficacy endpoint in preventing COVID-19 at interim analysis. Available at https://www.astrazeneca.com/media-centre/press-releases/2021/astrazeneca-us-vaccine-trial-met-primary-endpoint.html (Accessed on 12MAY2020).

16)Vasileiou E, Simpson CR, Robertson C, et al. Effectiveness of first dose of covid-19 vaccines against hospital admissions in Scotland: national prospective cohort study of 5.4 million people. [Preprint.] 2021. Available at www.ed.ac.uk/files/atoms/files/scotland_firstvaccinedata_preprint.pdf (Accessed on 12MAY2020).

17)European Medicines Agency. AstraZeneca's COVID-19 vaccine: EMA finds possible link to very rare cases of unusual blood clots with low blood platelets. Available at https://www.ema.europa.eu/en/news/astrazenecas-covid-19-vaccine-ema-finds-possible-link-very-rare-cases-unusual-blood-clots-low-blood (Accessed on 12MAY2020).

18)Sadoff J, Gray G, Vandebosch A, Cárdenas V, Shukarev G, et al. Safety and Efficacy of Single-Dose Ad26.COV2.S Vaccine against Covid-19. N Engl J Med. 2021 Apr. doi: 10.1056/NEJMoa2101544.

19)Logunov DY, Dolzhikova IV, Shcheblyakov DV, Tukhvatulin AI, Zubkova OV, Dzharullaeva AS, et al. Safety and efficacy of an rAd26 and rAd5 vector-based heterologous prime-boost COVID-19 vaccine: an interim analysis of a randomised controlled phase 3 trial in Russia. Lancet. 2021 Feb;397(10275):671-681.

20)Novavax. Novavax COVID-19 Vaccine Demonstrates 89.3% Efficacy in UK Phase 3 Trial. Available at https://ir.novavax.com/news-releases/news-release-details/novavax-covid-19-vaccine-demonstrates-893-efficacy-uk-phase-3 (Accessed on 12MAY2020).

21)Shinde V, Bhikha S, Hoosain Z, Archary M, Bhorat Q, Lee F, et al. Efficacy of NVX-CoV2373 Covid-19 Vaccine against the B.1.351 Variant. N Engl J Med. 2021 May. doi: 10.1056/NEJMoa2103055.

코로나 치료제 및 백신 임상시험 현황

정재용
서울의대 임상약리학 교수

2020년 12월 4일 기준으로 clinicaltrials.gov에 등록된 임상시험 중 COVID-19 약물 관련 임상시험은 총 1,653건으로 확인되었다. 이 중 FDA에서 어느 정도 치료 효과를 입증하여 긴급사용 승인(emergency use authorization)을 얻은 치료제 및 백신 위주로 주요 임상시험 현황을 정리하였다.

치료제 임상시험

Remdesivir

NCT 번호	연구명	진행 단계	시작일	위치
NCT04546581	Inpatient Treatment with Anti-Coronavirus Immunoglobulin (ITAC)	Phase 3	2020-10-08	다기관
NCT04610541	REMdesivir-HU Clinical Study and Severe Covid-19 Patients	Phase 3	2020-10-12	다기관 (헝가리)

Remdesivir(VEKLUR)는 현재 미국 FDA에서 COVID-19의 치

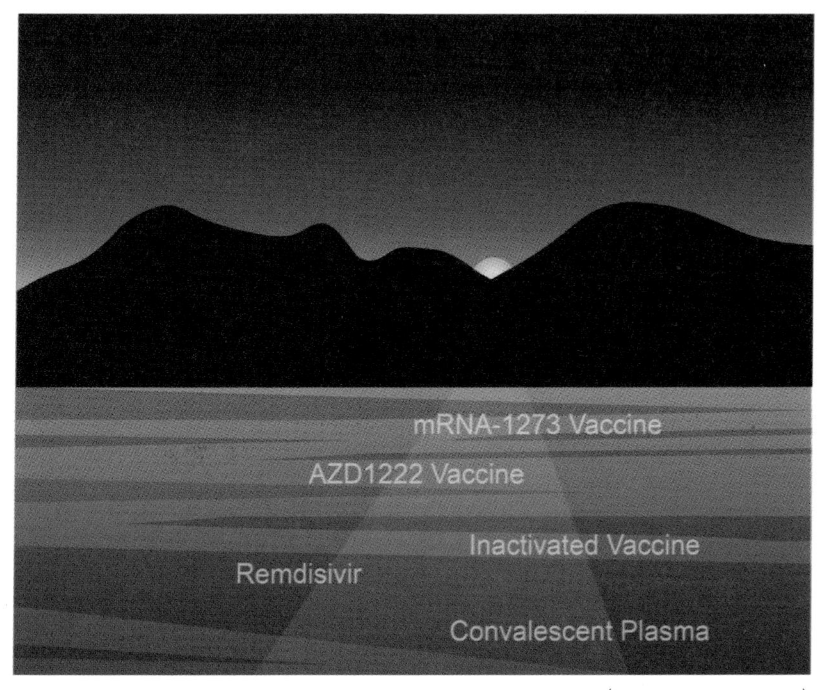

〈The new beginning〉

백신과 치료제들의 임상 시험 결과를 정리하신 글에 대한 그림으로, 가시적인 코로나19 대응 방안이 생겨서 새로운 날들이 시작되고 있음을 밤을 지나 떠오르고 있는 태양으로 표현하였다.

료제로 허가된 유일한 약제이다. Remdesivir는 입원기 치료에 준하는 급성기 치료를 할 수 있는 환경에서만 사용하도록 허가되고 있다. 현재 remdesivir와 관련하여 remdesivir 단독 치료뿐만 아니라 다른 항체치료제, 항바이러스제, 면역억제제 등과 병용 투여하는 임상시험들이 진행되고 있다. Remdesivir 관련 임상시험은 대부분 다기관, 대규모로 진행되고 있다.

혈장 치료제(convalescent plasma)

NCT 번호	연구명	진행 단계	시작일	위치
NCT04555148	COVIDIG (COVID-19 Hyper-ImmunoGlobulin)	Phase 2	2020-09-18	국내
NCT04429854	Donated Antibodies Working Against nCoV	Phase 2	2020-06-12	벨기에

혈장치료는 COVID-19 초기 회복자의 혈장을 공여받아 치료제로 개발한 것으로 현재도 치료제로 임상시험이 진행되고 있다. 국내에서는 GC녹십자가 혈장 치료제를 개발하여 임상을 진행하고 있다.

항체 치료제(monoclonal antibodies)

NCT 번호	연구명	진행 단계	시작일	위치
NCT04427501	A Study of LY3819253 (LY-CoV555) and LY3832479 (LY-CoV016) in Participants with Mild to Moderate COVID-19 Illness (BLAZE-1)	Phase 2	2020-06-11	다기관
NCT04602000	To Evaluate the Safety and Efficacy of CT-P59 in Patients with Mild to Moderate Syptoms of Severe Acute Respiratory Syndrome COVID-19	Phase 2 Phase 3	2020-10-26	국내
NCT04425629	Safety, Tolerability, and Efficacy of Anti-Spike (S) SARS-CoV-2 Monoclonal Antibodies for the Treatment of Ambulatory Adult Patients With COVID-19	Phase 1 Phase 2	2020-06-11	다기관

트럼프가 COVID-19 감염 시 리제네론사의 항체치료제를 투여받아 많은 관심을 받은 약물이다. 현재 FDA에서 긴급사용 승인을 득한 단일 클론항체는 bamlanivimab과 casirivimab and imdevimab이 있다. COVID-19 바이러스에 특이적인 항원을 타깃으로 하여 치료제를 개발한다는 컨셉으로, 국내에서도 셀트리온, 유한양행이 항체치료제를 개발 중에 있다.

JAK 억제제(Janus Kinase Inhibitor)

NCT 번호	연구명	진행 단계	시작일	위치
NCT04421027	A Study of Baricitinib (LY3009104) in Participants With COVID-19 (COV-BARRIER)	Phase 3	2020-06-09	다기관

JAK 억제제인 baricitinib도 현재 FDA에서 긴급사용 승인을 얻어 단독요법으로 진행하거나 remdesivir와 병용 투여를 진행하는 방식으로 임상시험이 진행되고 있다.

백신 임상시험

NCT 번호	연구명	진행 단계	시작일	목표환자수
NCT04456595	Clinical Trial of Efficacy and Safety of Sinovac's Adsorbed COVID-19 (Inactivated) Vaccine in Healthcare Professionals	Phase 3	2020-07-21	13060
NCT04516746	Phase III Double-blind, Placebo-controlled Study of AZD1222 for the Prevention of COVID-19 in Adults	Phase 3	2020-08-18	40000
NCT04611802	A Study Looking at the Efficacy, Immune Response, and Safety of a COVID-19 Vaccine in Adults at Risk for SARS-CoV-2	Phase 3	2020-11-02	30000
NCT04470427	A Study to Evaluate Efficacy, Safety, and Immunogenicity of mRNA-1273 Vaccine in Adults Aged 18 Years and Older to Prevent COVID-19	Phase 3	2020-07-27	30000

현재 WHO에서 51개의 후보 백신이 임상 평가를 진행하고 있다고 발표하였다. 그 외에도 163개의 백신이 비임상 단계에 있으며 플랫폼은 DNA, inactivated, live attenuated virus, non-replicating viral vector, protein subunit, replicating bacteria vector, RNA, T-cell based, VLP로 상당히 다양하게 개발 중이다.

(2020. 12. 16)

코로나19를 둘러싼 법/윤리/교육

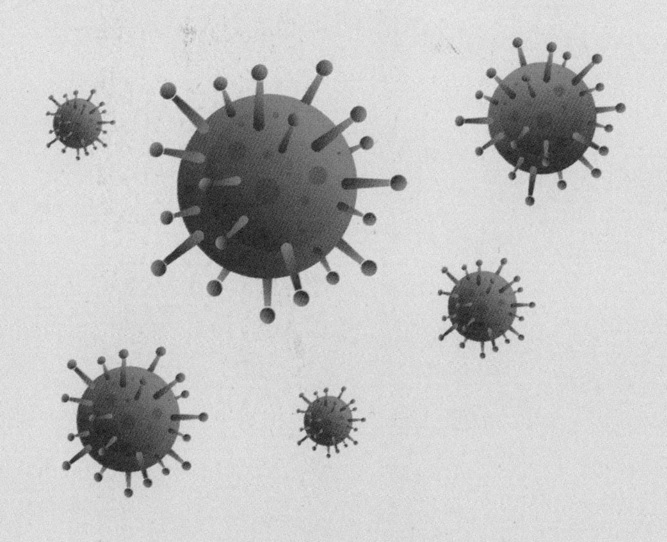

코로나19 법적 쟁점 : 비의약적 개입을 중심으로

고학수 · 박상철
서울대학교 법학전문대학원 교수

들어가며

우리나라가 코로나19의 유행에 직면하여 올가을 무렵까지 전반적으로 효과적인 대응을 할 수 있었던 배경에는 의료진들의 헌신과 뛰어난 역량, 그리고 진단 장비(PCR 키트)와 개인 보호 장비(마스크)의 원활한 공급 등 여러 요소가 있습니다.

이에 더해 지역획득 감염에 맞서기 위하여 동선 추적을 포함한 다양한 비의약적 개입(non-pharmaceutical intervention, 'NPI')이 병행되어 도움을 주기도 하였습니다. NPI는 많은 경우에 감염병 환자 및 접촉자 등의 프라이버시와 자유를 제한하는 강제처분의 형태를 취하게 되어, 그와 관련된 법적 문제를 야기하게 됩니다.

이하에서는 '감염병의 예방 및 관리에 관한 법률'('감염병예방법')상 NPI를 중심으로 하되 그 이외의 다양한 법적 쟁점들도 살펴보도

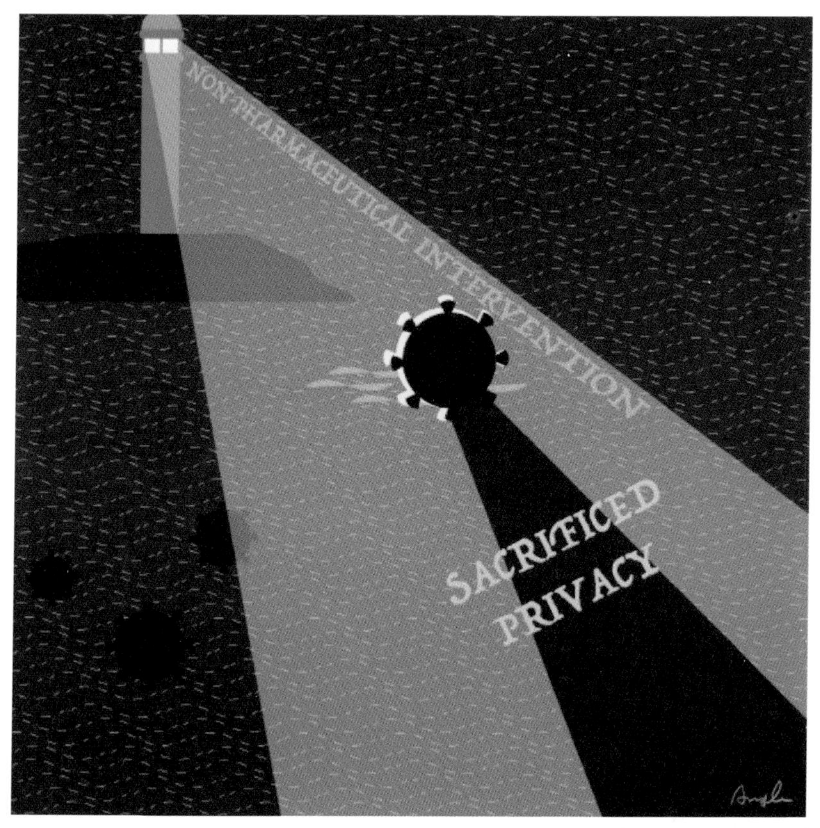

〈Light and shadow〉

코로나 검역을 위한 동선 추적과, 이에 수반하는 사생활 및 자유의 침해에 대해 논의한 글에 대한 그림으로, 등대에서 밝은 빛을 비추어 어두운 바다에서 코로나19를 찾아냈지만, 빛과 함께 찾아오는 사생활 침해의 그림자가 있음을 표현하였다.

록 하겠습니다.

코로나19의 유행과 관련된 주요 법적 쟁점 1 : 검역과 격리

감염병의 재생산(reproduction)을 줄이기 위한 NPI의 핵심은 감염병 환자(confirmed cases)의 입원 등 격리(isolation)와 감염병 의심자의 검역(quarantine)입니다(단, 감염병예방법은 격리와 검역을 별도로 구분하지 않으므로, 이하에서는 검역 대신 '자가 격리' 등 일상어를 혼용하겠습니다).

감염병예방법상 '감염병 의심자'란 (1) 감염병 환자의 접촉자(close contacts), (2) 검역 관리지역(코로나19의 경우 현재 전 세계)에 체류 또는 경유한 자, (3) 병원체 등 위험요인에 노출되어 감염이 우려되는 자를 통칭하는 개념입니다(제2조 제15호의2).

질병관리청과 지자체는 감염병 환자에 대해 격리를 강제할 수 있습니다(제42조 제1항). 그리고 감염병 의심자에 대해서는 (1) 자가 또는 시설 격리(검역을 의미), (2) 이에 필요한 이동수단의 제한, (3) 정보기술(IT)을 이용한 증상 유무 확인이나 위치정보의 수집, (4) 감염 여부 검사를 강제하는 것이 가능합니다(제42조 제2항).

일반적으로 '위치정보의 보호 및 이용 등에 관한 법률'('위치정보법')상 GPS, Cell ID 등 위치정보(geolocation data)의 수집에 대해서는 엄격한 제한이 있는데, 감염병예방법의 이 조항은 일반 원칙에 대한 예외를 허용하는 것이 됩니다.

이러한 예외를 근거로 행정안전부는 '자가 격리자 안전 보호 앱'을 개발하였고, 이에 따라 검역 당국이 자가 격리자의 위치정보를 자동으로 수집하여 준수 여부를 감독하고 있습니다. 이러한 방식의 위치정보 수집에 대해서는 감시(surveillance)에 따른 프라이버시 침해 논란이 발생할 수 있습니다.

다른 한편, 만일 앱을 통한 위치추적이 불가능할 경우에는 결국 공무원이 직접 인적 감시를 해야 할 가능성이 있는데, 이를 피하게 해준다는 점에서 오히려 덜 침익적인 측면이 있다고 볼 수도 있습니다.

이와 별도로, 외국으로부터의 입국자에 대해서는 특별입국 절차를 마련하여 시행하고 있습니다. 3월 22일부터 유럽발 입국자에 대해 14일간 자가 격리를 의무화하였고, 이는 3월 27일부터 미국발 입국자에 대해서도 적용되었습니다. 중국을 포함한 모든 국가에 대해 자가 격리가 적용되기 시작한 것은 4월 1일부터입니다.

입국 검역에 관해서는 코로나19 유행의 초기에 신속하고 체계적인 의사결정을 하지 못한 면이 있습니다. 향후에 일관적이고 체계적인 의사결정 구조하에 효과적인 입국검역을 시행할 수 있는 법적 시스템을 구축해야 한다는 과제가 남아 있습니다.

주요 법적 쟁점 2 : 역학조사, 특히 접촉자 추적

코로나19는 감염성이 높아 감염병 환자 등의 신고에만 의지하지 않고 질병관리청과 지자체의 적극적인 역학조사를 통해 선제적으로 감염병 의심자를 찾아 검사 및 검역하기 위한 노력을 진행하게 됩니다.

그와 관련하여 특히 접촉자 추적(contact tracing)이 중요한 역할을 합니다. 2015년에 발생한 중동호흡기증후군(MERS) 유행은 186명 감염, 38명 사망이라는 희생을 초래했지만, 다른 한편 그 경험은 감염병예방법을 정비할 기회도 제공하였습니다. 2015년 5월 20일 첫 MERS 확진자가 발생한 바 있고, 그 이후로 그해 10월에 이동통신사 등의 위치정보에 기반을 둔 추적을 허용하는 법률안이 발의되어 12월 29일에 공포되었습니다(2016년 6월 30일부터 시행). 그리고 2016년 1월 6일에는 시행령을 개정하여(1월 7일 시행) 신용카드, 교통카드, CCTV 기반의 추적이 허용되었습니다.

이는 개인정보 보호법상의 개인정보, 위치정보법상의 위치정보, 통신비밀보호법상의 통신사실확인자료에 대해 공통적으로 적용되는 동의 없는 정보수집의 금지 원칙에 대한 중대한 예외입니다. 2020년에 코로나19의 유행이 시작된 후에는 기존에 구축된 스마트시티 데이터 허브를 활용하여 조기에 코로나19 역학지원시스템을 마련하였는데, 이를 통한 정보의 수집은 기본적으로 위 감염병예방법 조항에 근거한 것입니다.

이를 통해, 역학 조사관들이 밀접 접촉자의 위치정보(이동통신사로부터 확보), 신용카드 거래기록(각 카드사로부터 여신금융협회의 승인을 거쳐 확보), CCTV 정보(경찰청으로부터 확보) 등을 신속하게 확보하여 분석하는 것이 가능해졌습니다.

IT기술을 활용한 역학 지원시스템이 구축되더라도, 여전히 역학조사의 핵심은 역학 조사관들의 노력에 기초한 면접 조사입니다. 정확한 역학 정보의 파악을 위해, 감염병예방법은 역학조사의 거부·방해·회피, 거짓 진술이나 거짓 자료 제출, 고의적인 사실 누락·은폐 시 2년 이하의 징역 또는 2천만 원 이하의 벌금에 처하도록 하는 강력한 처벌조항을 두고 있기도 합니다(제79조 제1호, 제18조 제3항).

그러나 이러한 처벌만으로 거짓 진술이나 사실 은폐에 의한 역학조사관들의 시간과 노력의 낭비를 막을 수는 없기 때문에 IT 시스템을 통하여 감염병 환자 또는 밀접 접촉자의 이동 경로를 빠르게 파악하여 인적 역학조사를 보완하는 역할을 수행하게 됩니다. 다만, 우리나라와 같이 집중형(centralized) IT 시스템을 구축하여 접촉자를 추적하는 사례는 사실 전 세계적으로 흔하지 않습니다. 중국, 이스라엘 정도가 종종 언급되는 사례입니다.

이스라엘에서는 총리의 긴급명령에 근거하여 정보기관의 대테러 감시 시스템을 코로나19 접촉자 추적 목적으로 활용하다가, 의회가 법률로 규정하지 않은 상태에서 이러한 시스템을 운용하는 것은 위법하다는 대법원 판결이 내려진 바 있고, 급하게 법률을 재정비하는 등 시행착오를 겪기도 했습니다.

유럽과 미국에서는 집중형 시스템이 프라이버시를 침해한다는 문제제기가 지속적으로 이루어지면서, 스마트폰 사이의 저전력 블루투스(bluetooth LE) 통신을 활용한 분산형(decentralized) 시스템이 주로 시도되었습니다[이를 흔히 P3T (privacy-preserving proximity tracing)라 합니다].

유럽연합 차원에서는 접촉자 추적이 위치정보의 익명화 및 식별자의 가명화를 전제로 해서만 가능하다는 정책당국의 입장이 발표되면서(EDPB guidelines 04/2020), 회원국의 집중형 시스템 도입은 현실적으로 금지되었습니다. 실제로 노르웨이에서는 GPS 위치정보를 추적하는 앱이 4월 16일에 출시되었다가, 이 앱이 EU 가이드라인을 위반한다는 이유로 노르웨이 데이터보호청이 6월 12일에 중지명령을 내린 바 있습니다.

그 이후로, 여러 논의와 시행착오 끝에 구글과 애플이 공동으로 개발한 API(Apple-Google exposure notification, 'AGEN')에 기반을 둔 앱들이 유럽 각지(독일, 영국, 이탈리아, 스페인, 스위스, 라트비아, 에스토니아 등), 미국의 몇몇 주, 일본 등에서 광범위하게 적용되어 배포되었습니다.

이들 앱은 (1) 두 사람이 가까운 거리에서 마주칠 때마다 스마트폰이 블루투스로 가명화된 임시 ID(ephemeral ID)를 서로 교환하고, (2) 이후 누군가가 확진이 되면 앱을 통해 서버 데이터베이스에 자신의 임시 ID를 전송하며, (3) 각 앱이 서버로부터 확진자 데이터베이스를 전송받아 접촉 사실이 확인되면 경고 메시지를 표시하는 형태로 작동합니다. 하지만, 이러한 기능만으로는 해당되는 개인들에게 경고 메시지를 보내어 더욱 주의하도록 하고 간접적으로 검사를 유도하는 것만 가능할 뿐 통합적으로 역학적 분석을 하는 것은 불가능합니다.

그러한 한계를 극복하기 위해 별도의 방식을 고려한 나라들도 있습니다. 예를 들어, 프랑스는 의회의 별도 승인을 받으면서 PEPP-PT 방식의 독자적인 앱을 개발하였고, 싱가포르도 Blue Trace라는 독자적인 프로토콜을 개발했습니다. 싱가포르에서 개발된 프로토콜은 호주에서도 채택되었습니다. 이들은 AGEN 방식과 달리 스마트폰이 자신의 임시 ID뿐 아니라 다른 핸드폰들로부터 모은 임시 ID도 서버 데이터베이스로 보내는 방식입니다(이를 부분 분산형 IT 시스템이라 합니다). 이에 따라, 서버 데이터에 기초하여 서버로부터 직접 접촉자 추적, 위험 분석, 경고 메시지 전송 등의 기능을 수행하는 것이 가능해집니다.

이러한 분산형(또는 부분 분산형) 시스템을 어떻게 평가할 것인지에 관하여, 이견은 있지만 지금까지로 봐서는 대체적으로 성공하지 못한 것으로 평가되는 것이 일반적입니다. 분산형 시스템이 효과가 있으려면 최소 60% 정도의 사회구성원들이 자발적으로 앱을 설치하고 구동해야 효과가 있을 것이라고 하는데(이를 '디지털 집단면역(digital herd immunity)'이라고도 합니다), 유럽 각국 인구의 4분의 1 정도는 스마트폰이 없다고 하고, 실제 스마트폰 보유자 중에 60%를 넘는 설치 비율이 달성된 국가의 예도 없습니다.

또한 이 방식은 가명화된 ID를 사용하므로 결국은 확진자 스스로 자발적 신고를 하지 않으면 확진자 식별이 어렵고, 따라서 역학조사관의 시간과 노력을 절감하는 효과는 거의 없습니다. 블루투스 자체가 위양성률이 높아 정보의 완결성이 떨어지며, 정작 접촉자 추적이 필요한 공중밀집 지역에서는 효과가 떨어진다는 한계도 있습니다. 다만, 개별 도시나 지역별로 일정 수준의 효과가 있다는 주장도 있습니다.

다른 한편, 국내에서는 2020년 3월 4일 자 감염병예방법의 개정 이후로 정부와 지자체가 시행할 수 있는 예방 조치에 '감염병 전파의 위험성이 있는 장소 또는 시설의 관리자·운영자 및 이용자 등에 대하여 출입자 명단 작성, 마스크 착용 등 방역지침의 준수를 명하는 것'이 추가되었습니다(제49조 제1항 2의 2호). 이에 따라 특정 밀집 이용 장소의 수기명부 작성 의무가 시작되었고, 6월 10일부터는 QR코드를 이용한 전자출입명부제도가 시행되었습니다. 전자출입 명부는 코로나19 역학지원시스템에 통합적으로 업로드되어 역학조사를 지원할 수 있도록 설계되었습니다.

전반적으로, 접촉자 추적은 역학 조사관의 시간과 노력을 절감하게 해준다는 점에서 역학적 편익이 크다는 보고가 계속되고 있으며 집중형 방식에 대한 유효한 대안도 명확하지 않은 실정입니다. 다른 한편, 프라이버시의 침해와 관련된 우려의 시각 또한 존재합니다. 프라이버시 맥락에서 주의가 필요해 보이는 사안들에 대해서는 계속해서 개선책을 모색할 필요가 있겠습니다. 다른 한편으로, 익명처리나 가명처리를 전제로 하여 연구 목적의 데이터베이스를 구축하여 학계에 제공하는 것은 역학적 연구를 위해서는 물론 향후 방역 대책을 더욱 체계화하는 데에 큰 도움이 될 것입니다.

주요 법적 쟁점 3 : 감염병 환자 이동 경로 공개

이동 경로 데이터를 활용하여 역학적 분석을 하는 등 방역 당국 내부 또는 한정된 전문가 사이에서 관련된 데이터를 공유하는 것은 분석을 위해 필요하기도 하고 정책적 정당성 또한 존재하는 반면, 이러한 데이터를 일반 대중에게 공개하는 것에 관해서는 좀 더 신중하게 고민할 필요가 있습니다.

모든 관련 데이터를 상세하게 공개할 필요는 없고 방역 목적을 고려하여 데이터 공개의 구체적인 사항을 정해야 합니다. 또한 데이터 공개에 따른 프라이버시 침해의 가능성을 고려할 필요가 있습니다. 감염병예방법 제34조의 2는 확진자의 정보공개에 관해 규정하고 있는데, 이는 MERS의 확산을 계기로 2015년에 최초로 입법된 것입니다.

그 당시 의료인 감염의 방지를 위한 목적에서 환자 발생 병원 및 접촉자 공유를 요청하는 의견이 의학계에서 제시되었고, 투명성을 이유로 하여 여론으로부터의 정보공개 요구도 늘어나면서, 정부는 그해 6월 5일에 기존의 비공개원칙을 깨고 환자 발생 병원을 공개하였습니다. 같은 날 위 조항에 대한 법률안이 제출되었고, 6월 25

일에 국회를 통과하여 7월 6일에 공포되었습니다. 이 법은 2016년 1월 7일부터 시행되었습니다. 단 20일 만에 국회를 통과하면서, 확진자의 프라이버시 침해 문제를 비롯하여 관련 정보를 얼마만큼 어떤 방식으로 공개할 것인지에 관해 충분한 숙고가 이루어지지 못하였습니다.

2020년 들어 코로나19의 유행과 함께 확진자의 이동 경로가 공개되기 시작했는데 이로 인해 확진자의 사생활이 과도하게 노출되어 많은 문제가 발생했습니다. 특히 초기에 그러한 문제가 많았습니다. 속칭 '신상털이'라 불리는, 이론적으로는 연결 공격(linkage attack)이나 추론 공격(inference attack)이라 부를 수 있는 방식에 기초한 재식별(reidentification)이 이루어진 사례들이 발생했고, 그로부터 프라이버시 침해와 낙인효과(stigma effect)가 나타나기도 했습니다. 확진자가 방문한 것으로 공개된 영업장의 영업 손실도 적지 않았습니다.

이러한 문제가 나타나면서, 2020년 3월 9일 인권위원회는 프라이버시 침해 우려에 대한 성명을 냈고, 구(舊) 질병관리본부는 3월 14일 인권위원회의 권고를 반영하는 가이드라인을 제시했습니다. 이 가이드라인에 따라, 확진자의 동선 공개 범위가 축소되었고, 세부주소, 직장명은 공개하지 않도록 조치되었습니다. 그 이후로도 프라이버시를 고려한 개선책이 여러 차례 제시되었습니다. 예를 들어, 4월 12일부터는 동선 공개 내용 마지막 접촉일 이후 14일 경과 시 파기하도록 하였습니다. 5월 초에는 이태원에서 집단감염이 나타나면서 성 소수자에 대한 낙인효과에 관한 우려가 크게 나타났는데, 서울특별시는 그에 관한 대응의 일환으로 5월 11일에 이태원 집단감염자의 익명검사를 시작했습니다. 그리고 구 질병관리본부는 이태원 집단감염과 관련된 경우에 한해 5월 13일부터 익명검사를 전국으로 확대하고 클럽을 개별 동선에서 삭제하였습니다.

이러한 논의들을 반영하여 구 질병관리본부의 6월 30일 자 가이드라인에서는 시간에 따른 개인별 동선 형태가 아닌 장소 목록 형태로 지역, 장소 유형, 상호(명), 세부주소, 노출일시, 소독 여부 정보를 공개하도록 하였고, 해당 공간 내 모든 접촉자가 파악된 경우 공개하지 않도록 하였습니다.

감염병예방법은 9월 29일 추가로 개정되었는데, 이상의 개선책을 반영하여 "성별, 나이, 그 밖에 감염병 예방과 관계없다고 판단되는 정보로서 대통령령으로 정하는 정보는 제외하여야 한다."라는 단서가 제34조의 2 제1항에 추가되었습니다. 이런 기준에 따라, 시행령 제22조의2 제1항은 "그밖에 감염병 예방과 관계없다고 판단되는 정보"로 성명, 읍·면·동 이하 거주지 주소를 추가하고 있습니다.

다만, 성명·성별·나이·주소 등을 가명 처리하거나 일부를 삭제한다고 해서 연결 공격이나 추론 공격에 바탕을 둔 프라이버시 침해 가능성을 막을 수는 없습니다. 그리고 그러한 가능성이 상당 부분 남아있는 경우에, 이태원 집단감염 상황에서 확인하였듯이 접촉자는 신원 노출에 대한 우려 때문에 신고 자체를 기피하는 경향을 보이게 되고 그로 인해 값비싼 역학적인 비용이 초래될 수 있습니다.

사업장이 특정되는 것으로 인한 영업 손실 또한 적지 않습니다. 만약 밀접 접촉자를 전부 찾아냈고 환경소독이 마무리되어 더 이상 해당 사업장 방문에 따른 감염 우려가 없는 상황이라면, 사업장을 특정하여 공개할 역학적 이유나 그 이외의 공익적인 이유는 없습니다. 다른 한편, 밀접 접촉자를 추가로 찾아낼 필요가 있어 이를 위해 자진신고를 유도하기 위한 공지가 필요한 경우, 환경소독이 이루어지지 못한 경우, 환경소독만으로 추가 감염을 막을 수 없는 경우 등에는 사업장 이름의 공개가 필요할 수 있습니다.

그러나 그러한 경우에도 날짜를 특정하여 어느 날 확진자들이 어떤 영업소를 방문했다는 식의 익명 처리된(anonymized) 집합적 정보의 공개로도 대중의 경각심(awareness) 환기와 알 권리 충족을 포함한 공익 목적 달성에는 충분한 경우가 일반적일 것입니다.

확진자의 이름을 번호로 대체하는 것은 일종의 가명처리(pseudonymization) 방식이 되는데, 이를 전제로 개별 확진자의 동선을 상세하게 공개하는 것은 부작용이 클 수 있습니다. 이에 따라 확진자 관련 정보공개가 개별 확진자의 동선을 공개하는 것보다는, 주의해야 할 위치나 영업소에 대한 정보 제공을 강조하되, 이러한 정보 제공도 꼭 필요한 범위 내에서만 이루어지는 방향으로 변화가 이루어지고 있는 것은 타당하다고 하겠습니다.

주요 법적 쟁점 4 : 사회적 거리 두기

감염병예방법에 따라 보건복지부와 지자체는 감염병 예방을 위하여 '흥행, 집회, 제례 또는 그 밖의 여러 사람의 집합을 제한하거나 금지'(제49조 제1항 제2호)할 수 있습니다.

이에 근거하여 일정 단계의 사회적 거리 두기(social distancing) 단계를 설정하고, 감염 양상이 심각해질 때마다 0.5씩 단계를 높여 다중이용시설의 영업과 일상 및 사회경제적 활동에 일정한 제한을 두고 있습니다.

특히 가장 높은 단계에 이르게 되면 필수시설 외 모든 시설의 운영이 제한되고, 특히 국공립시설은 실내외 구분 없이 운영이 중단되어 봉쇄(lockdown)에 좀 더 근접하게 됩니다. 우리나라를 비롯하여 전 세계 여러 나라에서 사회적 거리 두기와 관련하여 다양한 관점에서의 논쟁이 이루어지고 있습니다. 이는 기저 질환자들을 포함한 사회 구성원의 건강이 우선인지 경제 활성화가 우선인지에 관한 단순화된 구도에서의 논쟁은 물론, 이와 관련된 의사결정의 과정과 절차를 어떻게 정비할지, 의료인 등 전문가들의 견해를 어떤 방식으로 정책 결정에 반영할지, 데이터 분석에 기초한 실증적 근거를 어떻게 체계화하여 마련하고 의사결정에 반영할지 등 여러 가지 측면의 근본적이면서도 실질적인 질문들을 제기하고 있습니다.

주요 법적 쟁점 5 : 코로나19 관련 분쟁

보건복지부에 따르면 2020년 10월 22일 현재 5개의 지자체와 국민건강보험공단에서 총 8건의 구상권 청구 소송을 제기하였으며(이 중에서 2건은 신천지예수교회 관련, 2건은 사랑제일교회 관련), 그 청구금액은 총 1,111억 100만 원에 달한다고 합니다.

이 중에서, 대구, 경산, 봉화, 청도 등 특별재난지역으로 지정된 지역의 경우에는 '재난 및 안전관리 기본법'에 국가 또는 지자체가 국고보조 등으로 지원한 사회재난 지원금에 대하여 그 원인 제공자에게 해당 비용을 구상할 수 있다고 규정하고 있어서(제66조 제6항), 구상권 청구를 위한 명시적인 법 조항상의 근거가 있습니다. 그 이외의 경우에도 구상권 청구가 적법한 것일지에 대해서는 추가적인 논의의 여지가 있습니다.

이는 근본적으로는 방역에 대한 일차적인 책임이 누구에게 있는

지에 관한 질문으로 이어지는 것이고, 또한 사회적이고 정책적인 관점에서는 구상권 청구를 통해 확진자 발생의 가능성이 낮아지는 결과가 달성될 것인지, 아니면 단지 특정인이나 특정집단에게 '손가락질(finger-pointing)'을 하는 결과가 초래될 것인지에 관한 질문을 제기하는 것입니다.

한편, 2020년 7월 31일 대구 지역 코로나19 희생자 6명의 유족 19명이 3억 원의 국가배상을 청구하는 소송을 제기하였습니다. 과거에 MERS의 경우에도 국가배상소송이 제기된 바 있습니다. 구체적으로, MERS 환자 중 1인은 국가의 감염병 관리에 관한 과실을 이유로 1천만 원의 위자료를 배상받았습니다(서울중앙지방법원 2018. 2. 9. 선고 2017나9229 판결 ; 대법원 2019. 3. 14. 선고 2018다223825 판결로 심리불속행).

하지만 다른 MERS 환자 3인이 제기한 소(訴)에서는 이와 다른 판결이 내려졌습니다. 그 근거는 역학조사 등 감염 예방에 대한 관리가 소홀했다고 인정될 수 있지만, 현실적으로 감염관리가 제대로 이뤄졌더라도 환자가 감염되거나 사망하지 않았을 것이라고 단정하기 힘들다는 이유입니다.

그 밖에 집단감염이 발생한 회사의 노동자들이 집단 산재를 신청하고 회사를 상대로 소를 제기하기도 하였고, 예식장, 학원, 숙박업소 등 취소 시 환불 문제로 계속적인 분쟁이 초래되고 있습니다. 사회구성원 사이의 위험의 합리적인 분배에 대한 계속적인 성찰이 요구된다고 할 것이고, 갈등의 합리적인 조정 또한 중요한 사회적 과제로 떠오르고 있습니다.

향후 전망

사회적인 관심이 이미 높아지고 있지만, 향후에 감염병예방법상 예방접종 약품, 즉 백신과 관련된 법적 문제의 발생이 예상됩니다. 국제적으로는 백신을 확보하지 못한 개도국 등이 '무역 관련 지식재산권에 관한 협정'(TRIPS)상 강제실시(compulsory licensing)나 지식재산권 면제(waiver)를 통해 백신에 대한 접근권을 부여받아야 한다는 주장을 펼치고 있고 앞으로 그러한 주장이 더욱 거세게 나타날 가능성이 있습니다.

하지만 백신 개발을 선도하는 제약회사들이 선진국에 근거하고 있고 개발자의 막대한 투자에 대한 유인(incentive) 부여의 필요성도 부인하기 힘들어서, 이러한 주장이 받아들여질 현실적인 가능성은 낮습니다. 코백스 퍼실리티(COVAX facility) 등 국제 백신 공급체계도 있기는 하지만 이러한 방식을 통해 충분한 분량의 백신을 조달하는 데는 현실적 한계가 있으므로, 결국 세계 각국은 개별적인 백신 확보 경쟁에 돌입할 수밖에 없습니다. 백신 공급이 좀 더 구체화되고 본격화되면 그와 함께 몇몇 나라에서 백신 여권(vaccine passport) 내지 검역 여권(immunity passport)을 도입할 가능성이 있는데, 그 경우 백신의 충분한 공급 여부가 국가적인 경제적, 정치적 이해관계와 직접 결부되면서 더욱 첨예한 논란이 발생할 수 있습니다.

국내에서는 감염병예방법상 질병관리청이 필수예방접종약품 등을 감염병관리위원회의 심의를 거쳐 미리 비축하거나 장기 구매를 위한 계약을 미리 할 수 있습니다(제33조의 2). 또한, 비축하거나 장기 구매한 백신 공급의 우선순위 등 분배기준을 감염병관리위원회의 심의를 거쳐 정할 수 있다고 규정하고 있습니다(제33조의 2).

일단 국내에 일정수준의 공급이 확보되면 다양한 경로로 백신의 분배와 접종이 이루어질 수 있습니다. 국가와 지자체가 보건소를 통해 예방접종을 실시하는 경우에는 사고 발생 시 국가의 보상책임이 발생합니다(제71조, 제24조, 제25조). 또한 주요 백신 개발사들이 공급의 조건으로 국가의 백신 사고 시 배상 책임의 면책적 인수(indemnification)를 요구하고 있다고 알려져 있는데, 이러한 약정이 체결될 경우 피해자가 발생하여 해당 피해자가 백신 개발사에 대하여 승소 판결을 받더라도 종국적인 배상은 국가가 하게 될 수 있습니다.

그 밖에, 백신 공급의 우선순위 등 분배기준에 대한 논란이 있을 수 있습니다. 특정 집단의 비대칭적 치명률이 보고되고 있는 상황이라, 의료진, 고연령층, 특정 기저질환 보유자 등에 대한 우선 접종은 대체로 합리적인 처분으로 받아들여질 것으로 전망되는 한편, 만일 백신 공급이 충분하지 않을 경우에 그 이외의 그룹에 대한 우선순위 결정을 둘러싸고 논란이 발생할 수 있습니다.

코로나19로 인해 광범한 사회 변동이 초래되면서, 더 넓게는 원격의료, 원격근무, 전자정부, 전자금융, 온라인 플랫폼에 대한 경제력 집중의 규제 등 다양한 영역과 분야에서 변화의 단초가 나타나고 있습니다. 이는 코로나19가 종식되더라도 우리 사회의 작동방식이 과거로 회귀하지는 않을 것임을 시사합니다. 이러한 이슈들에 대해서는 별도의 관심과 논의가 필요합니다.

(2021. 2. 10)

코로나19의 연구 윤리

김옥주 · 정준호
서울의대 인문의학교실

COVID-19에 대한 치료제와 백신을 개발하기 위한 노력이 전례 없는 속도로 진행되었으며 이미 출시된 백신 외의 다른 제품들도 개발에 박차를 가하고 있다. 국제기구, 산업계, 학계, 연구기관과 정부 간의 글로벌 협력을 통해 연구를 가속화하고 있다.

각국의 정책 입안자와 규제기관들은 규제 체제가 조화되도록 조정하며, 산업체와 연구기관은 연구 협력을 통한 데이터 공유를 통해 신속한 연구개발을 추진하고 있다. 이러한 상황에서 유념해야 할 연구 윤리를 살펴본다.[1)]

1. 팬데믹 연구를 위한 IRB 운영 절차의 조정

팬데믹 동안 새로운 약물 또는 백신에 대한 연구를 수행하는 것이 필수적이며, 이에 대해 IRB(윤리위원회)가 관련 연구를 신속하게 할 수 있도록 적합하게 윤리성 심의를 해야 한다.

〈We're in a hurry〉

코로나19 백신과 치료제 개발이 중요한 상황에서 IRB (윤리위원회)는 신속하고 적절하게 연구를 진행할 수 있도록 해 주는 것이 중요하다. IRB의 승인을 대기하고 있는 많은 연구들이 줄을 서 있고, IRB는 이 연구들을 통과시켜 주기 위해서 애를 쓰고 있다.

WHO를 포함한 국제기구들은 코로나19의 치료법과 백신을 개발하는 모든 인간 대상 연구는 유능한 윤리위원회의 심의를 받고 그 감독하에 수행되어야 함을 강조한다.

치료제나 백신 개발의 긴급성을 이유로 독립적인 연구의 윤리성 심의가 훼손되어서는 안 되며 이러한 독립적인 윤리위원회는 중단없이 계속 기능해야 한다는 것이다.

긴급한 상황에서 윤리적인 문제가 더 많이 발생하므로 연구자들은 윤리적 연구 원칙을 준수해야 하며, 윤리위원회는 신속하지만 더 철저하게 윤리성 심의를 해야 한다.[2)]

(1) 다기관 연구의 단일 IRB(single IRB) 심의 의무화

공중보건 위기 상황에서 연구를 지연시키지 않기 위해 빠른 검토와 승인을 위해서는 국가에서 단일 IRB(single IRB) 심의를 의무화해야 한다. 국내 여러 기관에서 동시에 수행되는 다기관연구에 대해서 윤리 심사와 감독의 중복을 최소화하기 위해서이다. 다기관 연구에서 연구 진행과정의 감독에 대해서는 각 기관의 연구대상자 보호 프로그램에서 현장 조사나 점검 등을 할 수 있고 단일 IRB를 맡은 기관에서 담당할 수도 있다.

(2) 국제협력 연구에 대한 새로운 절차 확립

세계적인 협력 연구에 국내에서 참가하는 경우 이에 대응하는 새로운 절차가 만들어져야 한다. WHO에서는 전염병이 진행되는 동안 전 세계적으로 책임 있는 연구를 진행하기 위한 감독위원회가 만들어져야 한다고 촉구한다.[3)]

WHO에서 글로벌 차원의 대규모 3상 연구를 조정하는 위원회는 각 국가나 지역 차원의 임상시험의 윤리성 심의 절차를 조정하고 공유할 것이다. 한 국가에서 여러 기관이 참여하는 경우라도 윤리성 검토는 한 국가에서 연구윤리에 정통한 단일 IRB에서 담당하여 WHO와 같은 국제기관의 연구 감독위원회에서 공동으로 심의를 진행하도록 제안한다.

(3) 공중보건 위기상황 심의를 위한 기존 표준 운영 절차(Standard Operating Procedures, SOP)의 추가 또는 변경

긴급 상황에서 연구를 신속하고 적합하게 심의하기 위해 IRB는 기존 표준 운영 절차의 추가나 변경을 고려할 수 있다. WHO가 제시한 "공중보건 위기상황에서 연구를 신속하게 검토하기 위한 연구윤리위원회 지침"[4)]에서는 긴급 연구의 검토의 주요 부담을 공유할 전문성을 갖춘 특정한 수의 구성원을 사전에 갖추는 것이 중요하다고 지적한다.

짧은 시간에 여러 계획서를 심의해야 하기 때문이다. 그러므로 코로나19 관련 연구를 심의할 수 있는 전문성을 갖춘 인사들을 심의위원으로 확보해야 한다. IRB 위원들에게도 코로나19 관련 연구를 심의할 때 필요한 전문적인 내용을 교육해야 한다. 연구대상자를 보호하면서도 신속한 대응을 할 수 있도록 심의에 필요한 전문성을 가진 인사들이 소수가 모여서 심의를 할 수 있는 별도의 SOP를 마련하도록 권고한다.

2. 코로나19 백신 연구의 IRB 심의의 초점

(1) 비상시에 사용하는 적응적인 연구 설계

코로나19 백신의 유효성을 평가하기 위한 임상시험은 비뚤림(bias)을 최소화하기 위해 이중 눈가림, 무작위 배정, 위약 대조, 평행군 시험 디자인이 권장된다.

코로나19 백신은 아직 면역원성과 유효성과의 상관관계가 확립되지 않았으므로 위약과의 유효성에 있어 우월성을 평가한다. 공중보건 위기 상황에서 수행된 모든 연구에는 과학적 타당성과 사회적 가치가 전제되어 있어야 한다. 그렇지 않으면 참가자와 연구원이 불필요한 위험에 노출되어 윤리적으로 허용되지 않는다.

그러나 위기상황에서는 통상적인 치료제나 백신 개발의 프로토콜에 비해 신속하게 개발이 가능하도록 '적응적 설계(adaptive design)'를 사용할 수 있다. 1상을 마친 후 결과를 분석해서 평가하고 2상으로 넘어가는 설계와 달리 1상과 2상을 연속하여 진행하도록 설계될 수 있다. 동일 투여 코호트 내에서 초기에 일정 간격으로 소수 인원만 등록(예를 들어 20명 코호트에서 최초 5명을 매일 1명씩만 등록)하여 독립적 자료 모니터링 위원회를 통해 안전성을 먼저 평가한 후 나머지 시험대상자를 등록하는 임상 설계를 취할 수 있다.

(2) 연구대상자 안전성 심의

코로나19 백신은 상대적으로 제한된 비임상자료로 신속한 임상시험 진입이 이루어질 수 있다. 따라서 사람에게 적용하는 최초 임상시험인 1상 임상시험에서 건강한 성인 약 10~20명을 대상으로 안전성, 내약성 및 면역원성을 평가하는데, 임상시험 대상자들이 불합리한 위험에 노출될 가능성이 있으므로 이를 최소화하도록 심의해야 한다.

건강한 자원자를 대상으로 수행되는 1상 임상시험으로, 식약처의

'건강한 사람을 대상으로 하는 제1상 임상시험 IRB 심의 가이드라인'에 따른 심의 기준을 적용하여야 한다.

안전성 확보를 위해 선정·제외 기준을 강화하고, 동의서를 통해 새로운 백신 접종으로 발생할 수 있는 잠재적 위험성을 충분히 인지할 수 있도록 해야 하며, 백신 접종 후 안전성에 대한 주의 깊은 추적조사 및 주기적 모니터링을 실시하는지, 자료 및 안전성 모니터링 계획이 적절한지, 최고 투여용량에 도달하기 전에 단계적인 용량 증가 디자인을 통해 안전함을 확인하고 하는지 등을 확인해야 한다. 개인정보보호의 적절성과 연구대상자에게 제공될 금전적 보상 및 피해 보상 계획의 적절성에 대하여도 평가하여야 한다.

(3) 연구대상자의 동의 심의

연구대상자의 동의는 연구에 대한 기본적인 윤리적 요구이다. 연구대상자는 연구 참여의 위험과 이익을 평가할 수 있어야 한다. 기존 자료를 토대로 인체에 미칠 이상 반응을 모두 예측할 수 없다는 것과 백신으로 면역성을 획득하면 항체의 영향으로 추후 바이러스에 접촉하게 되면 심각한 호흡기 질환이 발생하는 강화 질병의 가능성을 알려야 한다.

임상시험 대상자에게 연구로부터 오는 직접적인 이익은 없으나 SARS-CoV-2에 대한 중화항체가 형성된다면 잠재적 이익이 있으며, 향후 사회적으로 백신 개발에 관한 새로운 정보를 제공하여 이익을 줄 수 있음을 알려야 한다.

(4) 연구의 데이터와 인체 유래물 공유

백신 연구에서 데이터와 인체 유래물의 공유는 매우 중요하다. 국제적으로 이루어지는 연구에서는 데이터 공유와 인체 유래물 공유가 핵심적인 역할을 한다.

연구대상자에게 인체 유래물의 수집, 보관, 향후 2차적 이용, 제3자와의 공유에 대해 충분한 정보를 제공해야 한다.

국내 생명윤리법에 의한 인체유래물 연구 동의서를 마련하여 이에 관한 동의 여부를 확인해야 한다.

국제적 협력으로 이루어지는 연구에서는 국내법을 준수하면서 인체 유래물이 국가 밖으로 반출되는 경우, 데이터 공유 및 인체 유래물의 물질이전각서를 검토해야 한다.

팬데믹 대응 노력을 지원할 가능성이 있는 정보를 생성하는 연구원은 공개를 위해 품질관리가 되는 즉시 정보를 공유해야 하는 윤리적 의무가 있다. 연구가 가장 큰 영향을 미치려면 연구대상자와 소속된 집단뿐 아니라 전 세계 공동체 및 팬데믹 대응 노력과 관련된 사람들과 정보를 공유해야 한다.

3. 연구 혜택의 공유

전 세계가 대유행을 종식시키고 사회와 경제 활동을 재개하기 위해 안전하고 효과적인 백신을 기다리고 있다. 연구와 동시에 COVID-19의 치료와 백신에 대한 공정하고 공평한 접근을 위한 정책이 함께 준비가 되어야 한다.[5]

COVID-19 약품 및 백신을 전 세계에 공급할 수 있게 되면 처음에는 공급이 제한될 것이다. 세계 보건 비상사태에서 국가 간에 또한 국가 내부에서 자원 할당과 분배 정의의 문제는 첨예한 주제이다. 누구에게 치료제와 백신의 우선순위를 주어야 하는지 결정하려면 전염병 대처에 대한 역사적 경험과 신중한 숙고와 정보에 입각한 계획이 필요하다.

정부는 치료제와 백신을 제공하기 위한 우선순위 결정 전략에 대해 투명하게 가치에 근거해서 시민에게 전달할 때 공급이 제한된 경우 그 이유를 알고 공유하게 된다.[6]

국제기구, 연구지원기관과 국가는 연구에 참여하는 개인과 지역사회가 연구 참여로 인한 혜택을 이용할 수 있도록 해야 한다.

백신이나 치료법이 안전하고 효과적인 것으로 판명되면 적절한 경우 긴급사용 모니터링을 포함하여 가능한 빨리 해당 지역 주민에게 제공해야 한다.

비상시에 수행된 연구의 이익에 모든 사람들이 공정하게 접근할 수 있도록 해야 한다. 데이터 공유와 연구 혜택 공유는 중심 가치로 인식되어야 한다. WHO와 같은 국제기구는 모든 국가의 모든 인구가 연구로 확증된 백신에 가능한 빨리 접근할 수 있도록 빠른 규제당국의 승인과 대량생산을 위해 노력해야 한다.

(2021. 1. 13)

1)정준호, 김옥주, "코로나19(SARS-CoV-2) 백신 연구의 윤리", 『생명윤리정책연구』 vol.13 no.3, 2020, 1-25면.

2)Hunt, Matthew, et al., "The challenge of timely, responsive and rigorous ethics review of disaster research: views of research ethics committee members." PLoS one 11, no. 6 (2016): e0157142.

3)WHO, "Ethical Standards for Research during Public Health

Emergencies: Distilling Existing Guidance to Support COVID-19 R&D"

4)WHO, "Guidance for Research Ethics Committees for Rapid Review of Research during Public Health Emergencies", 2020.5.28.

5)Nuffield Council on Bioethics, "Fair and Equitable Access to COVID-19 Treatments and Vaccines", 2020.05.29.

6)WHO, "Ethical Standards for Research during Public Health Emergencies: Distilling Existing Guidance to Support COVID-19 R&D", Available at https://apps.who.int/iris/handle/10665/331507

코로나19 인간 챌린지 연구 (Human Challenge Trial)

정준호 · 김옥주
서울의대 인문의학교실

전례 없는 코로나19 팬데믹은 세계적으로 인간 챌린지 연구에 대한 논쟁을 불러일으켰다. 2020년 4월 20일 35명의 미국 상원의원들은 미국 보건복지부와 식품의약국에 코로나19 백신 개발을 촉구하는 서한을 보냈다.[1)]

이들은 백신 개발 기간을 단축시킬 수 있는 방법 중 하나로 자원자들을 의도적으로 병원체에 노출시키는 '인간 챌린지 연구(human challenge trial)'를 제안했다. 연구 과정에서 건강한 성인을 병원체에 노출시키는 행위는 해악금지라는 기본적인 윤리적 원칙을 위배하는 것처럼 보인다.

하지만 하루에도 수천 명의 사망자가 발생하고 있는 상황에서 하루라도 빨리 백신을 개발하기 위해 사람들은 이러한 위험성에도 인간 챌린지 연구 참여에 많은 관심을 보였다.[2)]

2020년 4월 발족한 비영리기구 "하루라도 빨리(1Day Sooner)"

는 코로나19 인간 챌린지 연구를 홍보하고 자원자들을 모집했다. 이 단체에서는 2020년 7월 15일 노벨상 수상자 15명을 포함한 153명의 학자들의 서명을 받아 미국보건원장에게 백신 개발을 위한 인간 챌린지 연구를 개시할 것을 촉구했다.[3)]

이들은 수백만 명의 목숨과 세계 경제를 살리기 위해서 지금 당장 연구에 필요한 바이러스를 생산해줄 것을 요청했다. 이러한 주장들과 함께 저명한 학술지들과 주요 언론에서도 인간 챌린지 연구를 코로나19에 대응하기 위한 도구로 주목했다.[4)5)]

백신 연구자들과 윤리학자들뿐 아니라 세계보건기구에서도 인간 챌린지 연구 수행 조건과 기준들에 대해 논의하기 시작했다.[6)~10)]

이 글에서는 코로나19에서의 윤리적 논쟁점에 대해 살펴보기에 앞서 먼저 인간 챌린지 연구의 역사를 고찰해보고자 한다.

1. 인간 챌린지 연구의 역사

인간 챌린지 연구는 감염성 질환뿐 아니라 정신의학 등 다양한 분야에서 오랜 기간 활용되어 왔다. 이러한 연구 방법은 질병 및 치료에 대한 과학적 지식을 발전시킬 목적으로 인간의 생물학적 또는 심리적 기능에 병원체, 약물, 신체적 또는 심리적 자극 등을 통해 개입하는 것을 말한다.[11)]

이 중 통제된 사람 감염 연구 모델(controlled human infection model)은 의도적으로 연구 대상자를 병원체에 노출시켜 (1)전파 경로 이해 (2)병원체의 발병 기전이나 사람의 면역 반응 이해 (3)백신 연구에서 개념증명(proof-of-concept) (4)백신 스크리닝(후보 백신의 효과성 평가 등) (5)치료제의 효과 평가 (6)노출 증량(dose

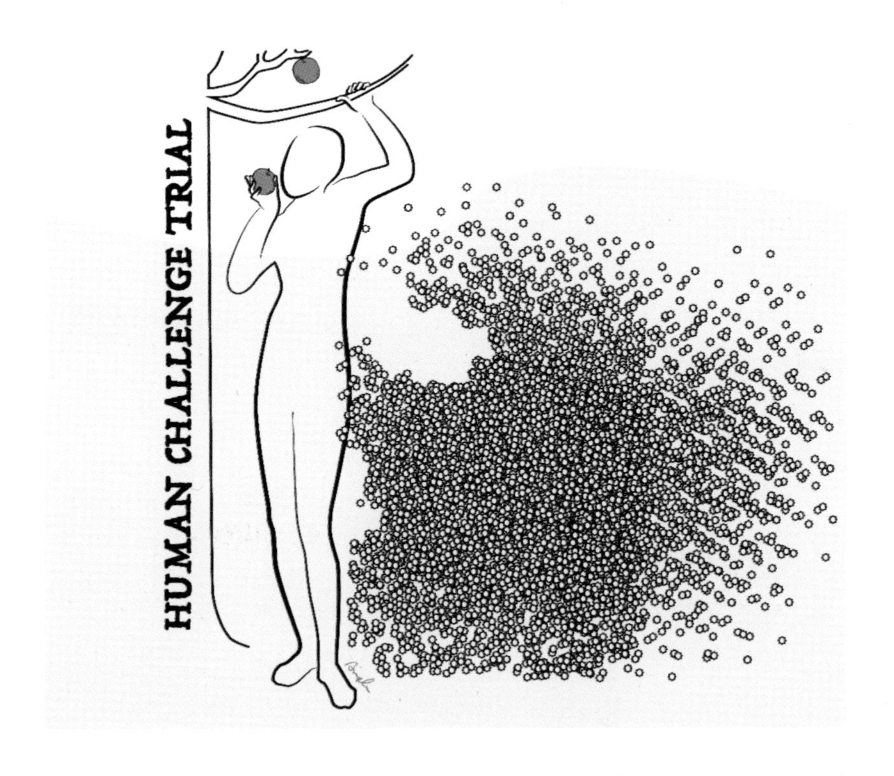

〈The forbidden fruit〉

급박한 상황이지만 질환에 대해 잘 알지 못하고 승인된 치료법이 없는 코로나19 대상 인간 챌린지 연구의 진행에 대한 윤리적인 논쟁은 아직 진행 중이다. 코로나 홍수 속에서 금지된 과일을 따먹으려 하는 인간의 모습으로 인간 챌린지 연구에 대한 윤리적인 고민을 표현하였다.

escalation study)을 통한 사람감염 모델에 대한 연구 (7)병원체와 인체 면역 반응의 관계 이해 (8)진단 기술의 개발 등에 활용하는 연구 방법을 말한다.[12)]

인간 챌린지 연구는 18세기까지 거슬러 올라갈 수 있다. 1796년 에드워드 제너의 우두 접종 실험은 인간 챌린지 연구를 통해 백신의 효과성을 검증한 대표적인 역사적 사례이다. 우두에 감염되었던 사람은 천연두에 감염되지 않는다는 점을 발견한 제너는, 정원사의 아들인 제임스 핍스에게 우두를 접종한 뒤 다시 천연두에 노출시키는 실험을 진행했다. 이를 통해 우두가 천연두에 대한 면역을 제공한다는 점을 확인할 수 있었다.[14)]

19세기 후반부터 20세기 초반까지는 황열병, 뎅기열 등 다양한 병원체들의 전파 경로가 인간 챌린지 연구를 통해 밝혀지기도 했다.[14)]

20세기 전반 일본의 731부대와 나치 독일에서 진행된 비인도적인 사람 대상 연구들은 인간 챌린지 연구에 철저한 윤리적 지침이 필요함을 보여준 사례였다. 이들은 페스트, 말라리아, 티푸스 등 치명적인 병원체를 사람들에게 주입하고 질병의 경과를 관찰했다. 이러한 연구들은 대부분 수용소나 감옥에 수감되어 있던 사람들을 대상으로 이루어졌다. 대상자들의 동의 없이 최소한의 안전조차 고려되지 않고 시행된 연구들은 수많은 피해자들을 낳았다.[11)]

이러한 사례들에서 도출된 뉘른베르크 강령과 헬싱키 선언은 오늘날 의학 연구 윤리의 기초를 닦았다.

이후 20세기 후반 사람을 의도적으로 병원체에 노출시키는 연구들은 매우 제한적으로 이루어져왔다.

21세기 들어 의학 연구에 대한 윤리적 감독이 강화되고 연구윤리위원회 운영의 정착 등 안정적인 관리 체계가 성립되자 새로운 감염병들에 대한 인간 챌린지 연구의 관심이 활성화되었다. 또한 21세기 들어 유전공학, 면역학, 정보처리기술 등의 발전으로 대량의 데이터를 분석할 수 있게 되면서 인간 챌린지 연구에 대한 관심이 다시 환기되었다.

특히 유전체학, 단백질체학 등 오믹스(omics) 연구 방법의 발달은 감염병의 면역학적 기전에 대한 이해를 크게 증진시킬 수 있도록 했다. 이를 기반으로 최근 뎅기열, 말라리아, 콜레라 등의 백신 개발 과정에서 인간 챌린지 연구는 필수적인 역할을 담당했다.[15)]

세계보건기구와 영국 의과학학술원(Academy of Medical Science)은 향후 대규모 유행병과 팬데믹 상황에서 인간 챌린지 연구가 중요한 역할을 담당할 것이라고 보았다. 2016년 영국의과학학술원에서 펴낸 통제된 사람 감염 모델 워크숍에서는 인간 챌린지 연구가 "팬데믹과 신종 감염병 대응이라는 보다 포괄적인 목표를 가지고 수행되어야 한다."고 지적했다.

인간 챌린지 연구 수행자들과 주요 연구비 지원단체들이 모인 이 워크숍에서는 팬데믹 대응에 있어 인간 챌린지 연구가 중요한 역할을 담당할 수 있음을 강조했다. 기초과학적 이해가 부족하며 실험실적 연구를 진행할 수 있는 모델 생물이 존재하지 않는 신규 감염병에 있어 인간 챌린지 연구는 이러한 과학적 지식을 신속하게 제공해 줄 수 있는 중요한 도구이다.[15)]

2. 제안된 인간 챌린지 연구

〈1〉 WHO의 단계별 코로나19 인간 챌린지 연구[8)]

2020년 6월, 세계보건기구는 코로나19 인간 챌린지 연구를 수행하기 위한 보고서 (Feasibility, Potential Value and Limitations of Establishing a Closely Monitored Challenge Model of Experimental COVID-19 Infection and Illness in Healthy Young Adult Volunteers)를 제시하였다.

세계보건기구는 보고서를 통해 챌린지 연구를 연구 1단계, 연구 2단계로 나누어서 진행할 것을 주장하였다. 연구 1단계는 코로나19 인간 챌린지 연구에 필요한 바이러스 투여량을 결정하는 단계이다. 연구 2단계는 백신 후보 효과를 시험하고, 나아가 젊은 지원자들의 재감염을 통하여 코로나19 감염 초기 임상 질환 반응, 바이러스 배출, 반응의 역학 특성, 면역학적 보호 상관관계, 자연적인 감염이 면역 반응을 유도하는지 여부 등에 관한 것이다. 연구 2단계의 목적은 이후 코로나 백신 개발에도 유효한 정보를 제공하기 위함이다.

연구 1단계에서 우선 바이러스 투여량을 선정해야 한다. 현재 코로나19 인간 챌린지 연구 개발에 대한 정보가 충분하지 않고 가장 적은 용량의 바이러스를 투여하여도 유발될 수 있는 임상 질환과의 상관관계 범위도 알려져 있지 않다. 때문에 바이러스 투여량 선택에 최대한 주의를 기울여야 한다. 우선 가장 낮은 수준의 야생형 코로나19 바이러스를 소수의 젊은 지원자에게 노출시킨다. 데이터 안전 모니터링 위원회(Data Safety Monitoring Board)는 모든 지원자들에 대한 안전 데이터를 검토하여 바이러스 증량에 대한 승인 여부를 연구자들에게 알린다. 바이러스 투여량의 최소 수준에서 안전성이 확보된다면 점진적으로 대상자를 늘릴 수 있다. 만약 다수의 지원자들이 낮은 용량의 바이러스에 노출된 뒤에도 예상한 임상

반응이 나타나지 않는 경우에는 노출 용량을 증가시킬 수 있다.

연구 2단계는 2개 과정으로 되어 있다. 세계보건기구는 장기적인 코로나19 백신 개발에 실질적으로 도움을 주기 위하여 코로나19 바이러스 감염 초기 임상 질환 반응, 면역학적 보호 상관관계, 면역반응의 역학 특성 등에 관한 주요한 정보를 획득하려는 연구 목적으로 코로나19 인간 챌린지 연구 2단계를 2개 과정으로 나누어서 진행할 것을 건의하였다.

첫 번째 과정은 18세~25세의 건강한 지원자들의 바이러스 감염을 통한 백신 효과성 시험단계이다. 두 번째 과정은 지원자들의 재감염을 통한 코로나19 임상 질병에 대한 면역학적 보호 반응 등을 탐색하는 단계이다. 재감염 단계에서 코로나19에 감염된 지원자와 감염되지 않은 지원자들을 다시 무작위로 군을 나뉘어서 백신 투여, 위약 투여를 한 후 면역 반응 간격 4~12주 후 새로 모집한 지원자들과 함께 바이러스에 노출시켜 처음 감염된 환자가 재감염 되었을 때의 면역 보호 반응을 관찰한다. 재감염단계 과정의 연구는 코로나19 백신 개발에 실질적으로 기여할 수 있다.

〈2〉 장기적 코로나19 인간 챌린지 연구

NIH ACTIV 그룹은 코로나19 질병의 특수성 등이 확실해지고, 승인된 치료제가 있을 때 약독화된 코로나19 바이러스로 코로나19 인간 챌린지 연구 모델을 개발할 것과 이어 계절별 코로나 바이러스 인간 챌린지 연구 모델 개발도 진행하여야 한다고 주장하였다.[10] 계절별 코로나 모델은 1967년 이미 개발됐지만 면역학적 특성이 제한되어 있기에 보다 포괄적인 모델을 개발할 필요가 있다. 왜냐하면 계절성 코로나 바이러스는 사스나 메르스, 코로나19만큼 심각한 질병을 유발하지 않으므로 챌린지 임상시험 모델 연구에 유리하기 때문이다.

계절별 코로나 바이러스 인간 챌린지 연구를 통하여 이해 관계자들은 코로나19 바이러스 면역학적 특성에 필요한 질문, 백신에 의한 면역 지속 시간, 면역 내구성, 질병 강화 특성 및 건강한 집단의 보호 상관관계 등을 파악할 수 있다.

코로나19 인간 챌린지 연구 모델의 개발은 코로나19뿐만 아니라 향후에 발생할 수 있는 또 다른 전염병의 유행을 대비하기 위한 기초를 마련할 수 있고, 백신 개발 가속화에 유의미한 도움을 줄 수 있기에 인간 챌린지 연구 모델 개발에 대한 노력은 장기적으로, 지속적으로 진행되어야 한다.

3. 코로나19 인간 챌린지 연구의 윤리적 논쟁

코로나19 인간 챌린지 연구는 위험성이 불확실한 병원체를 다루고 있고 승인된 치료법이 존재하지 않기에 연구에 대한 윤리적 정당성 논쟁은 현재도 진행 중이다. 인간 챌린지 연구의 알려지지 않은 위험성과 실제 사회적 가치에 대한 논쟁도 여전히 진행 중이다. 미국 국립알레르기감염병연구소(National Institute of Allergy and Infectious Diseases) 소장인 앤서니 파우치(Anthony Fauci)는 인간 챌린지 연구가 “필수적이지 않으며, 윤리적으로 정당화될 수 없다.”고 발언했다.[15)]

치료제가 없으며 질병의 장기적 영향에 대한 이해가 부족한 상황에서 인간 챌린지 연구는 부적절하다고 본 것이다.

의학연구 윤리의 기본 원칙은 연구 대상자들에게 가해지는 해악을 최소화한다는 것이다. 히포크라테스 선서에는 의사가 환자에게 이롭다고 생각되는 일을 하고 "해롭고 유해한 것을 하지 말라"고 요구하고 있다.

이는 연구자들에게 사람을 대상으로 하는 연구를 할 때, 정신적, 신체적, 사회적 해를 끼치지 말라는 요구로 볼 수 있다.

현재 코로나19 병원균이 제대로 이해되지 않고 있으며 사용 가능한 특정 치료법도 없다. 심각한 질병이나 사망이 발생하기 때문에 코로나19 인간 챌린지 연구는 일반적으로 인정되는 다른 인간 챌린지 연구보다 더 높은 수준의 위험과 불확실성을 수반하게 된다. 민간단체인 에이즈 백신 옹호 연합(AIDS Vaccine Advocacy Coalition, 이하 AVAC)은 세계보건기구 성명[7]이 "인간 챌린지 연구의 평가를 위한 중요한 기준을 수립했다"는 점을 인정하면서도 "승인된 치료법이 있을 때까지, 잠재적으로 치명적이고 치료 불가능한 병원체를 다루는 시험은 받아들일 수 없다"는 내용을 생략했다고 비판하였다.[18]

AVAC는 승인된 치료제가 없으면 코로나19 인간 챌린지 연구는 결코 진행되지 말아야 함을 주장하였다.

세계보건기구의 인간 챌린지 연구 수립에 대한 타당성 조사 보고서에서 위험성과 사회적 가치에 대한 전문가들의 의견은 양분되었다. 인간 챌린지 연구가 치료제의 존재 유무와 관계없이 이루어져야 하는지에 대한 질문에는 10명이 시작해야 한다고 답했고, 9명은 치료제 없이는 시작할 수 없다고 답했다.

젊은 성인을 대상으로 한 인간 챌린지 연구가 고령자 및 고위험 집단에서의 백신 효능을 예측할 수 있을 것인지에 대한 질문에는 8명이 예측할 수 있다, 11명이 예측하지 못할 것이라 답했다. 또한 젊은 성인을 대상으로 한 인간 챌린지 연구가 기존의 현장 임상시험과 비교하여 고위험 집단을 위한 백신 개발 일정을 앞당길 수 있을 것인지에 대한 질문에는 인간 챌린지 연구를 지지하는 쪽이 9명, 기존 임상시험을 지지하는 쪽이 9명, 기권이 1명이었다.

이는 치료제가 없는 현실에서 연구 참여의 안전성을 확보할 수 있는지 의견이 나뉘어 있음을 보여준다. 또한 백신 개발의 기간을 단축하거나 광범위한 인구집단에 적용할 수 있을 만큼의 사회적 가치와 과학적 근거를 제공할 수 있는지에 대한 의견 역시 양분되어 있다. 이처럼 코로나19 인간 챌린지 연구의 안전성과 가치에 대한 합의는 전문가들 사이에서도 이루어지지 못하고 있다.

과학적 지식의 확보와 백신 개발이라는 사회적 가치를 위해 연구대상자들을 명백한 위험에 노출시키는 것은 분명 우리의 윤리적 직관에 반대된다. 기존의 임상시험에도 위험성은 존재하지만 이는 예측된 위험이며, 인간 챌린지 연구는 확실한 위험이라는 차이가 분명 존재한다. 진행 중인 판데믹이 강력한 사회적 압력으로 작동하는 상황에서 이루어지는 연구라는 점 역시 윤리적 문제를 심화시킨다.

4. 향후 판데믹에 대한 윤리적 대비

인간 챌린지 연구는 병원체에 대한 기초과학 연구부터 백신과 치료제 개발까지 광범위한 영역에 걸쳐 이루어지기 때문에 다양한 윤리적 고려가 필요하다. 기존의 임상시험 관리 체계로는 이러한 인간 챌린지 연구의 다양성을 충분히 수용할 수 없다는 판단 하에 2005년 영국의과학학술원은 인간 챌린지 연구의 사용을 위한 지침을 제안했다.[19]

이 지침은 기본적으로 인간 챌린지 연구가 다른 임상연구와 동일한 원칙을 준수해야 함을 강조하고 있다. 하지만 인간 챌린지 연구가 광범위한 연구 영역을 다루고 있기 때문에 각각의 사례를 충분한 전문성을 가지고 검토할 수 있는 별도의 국가 자문 기구와 기관 안전 모니터링 위원회를 둘 것을 권고했다.

이처럼 코로나19 인간 챌린지 연구의 윤리적 고려에 대한 논의는 현재 백신 개발 단축이 가져다줄 수 있는 불확실한 사회적 가치보다 장기적인 판데믹 대응 역량의 일환으로 논의될 필요가 있다.

신종 감염병에 의한 전 세계적 유행은 코로나19에 그치지 않고 지속적으로 반복될 것으로 예측되고 있으며, 이에 대응할 수 있는 신속한 과학적, 윤리적 대응이 무엇일지에 대해 지속적으로 고려해봐야 할 것이다.

(2021. 1. 27)

1)"Letter to HHS&FDA on Rapid Vaccine Deployment for COVID-19", https://foster.house.gov/sites/foster.house.gov/files/2020.04.20_Ltr%20to%20HHS%20%20FDA%20on%20Rapid%20Vaccine%20Deployment%20for%20COVID-19%20-%20Signed.pdf Accessed Aug 22, 2020

2)정준호, 김옥주, "코로나19 (SARS-CoV-2) 백신 연구의 윤리", 『생명윤리정책연구』 vol.13 no.3, 2020, 1-25면.

3)https://1daysooner.org/openletter, Accessed Aug 22, 2020

4)"Hundreds of people volunteer to be infected with coronavirus", https://www.nature.com/articles/d41586-020-01179-x, Accessed Aug 23, 2020

5)"Researchers Debate Infecting People on Purpose to Test Coronavirus

Vaccines", https://www.nytimes.com/2020/07/01/health/coronavirus-vaccine-trials.html. Accessed Aug 22, 2020

6)Eyal N, Lipsitch M, Smith PG. "Human Challenge Studies to Accelerate Coronavirus Vaccine Licensure", The Journal of Infectious Disease vol.221 no.11, 2020, pp1752-1756

7)Plotkin SA, Caplan A et al. "Extraordinary diseases require extraordinary solutions", Vaccine, vol.38 no.24,2020, pp.3987-3988

8)WHO, "Key criteria for the ethical acceptability of COVID 19 human challenge studies", https://www.who.int/ethics/publications/key-criteria-ethical-acceptability-of-covid-19-human-challenge/en/. Accessed May 6, 2020

9)World Health Organization Advisory Group on Human Challenge Studies. "Feasibility, potential value and limitations of establishing a closely monitored challenge model of experimental COVID-19 infection and illness in healthy young adult volunteers.", https://www.who.int/publications/m/item/feasibility-potential-value-and-limitations-of-establishing-a-closely-monitored-challenge-model-of-experimental-covid-19-infection-and-illness-in-healthy-young-adult-volunteers. Accessed Jun 15, 2020

10)Deming ME, Michael NL, Robb M, Cohen MS, Neuzil KM. "Accelerating Development of SARS-CoV-2 Vaccines-The Role for Controlled Human Infection Models", New England Journal of Medicine, Vol. 383, 2020, pp. e63(1)-e63(4).

11)Ezekiel EJ et al. The Oxford textbook of clinical research ethics, Oxford University Press, 2008 pp.273.

12)Dholakia SY. "Conducting controlled human infection model studies in India is an ethical obligation", Indian Journal of Medical Ethics, vol.3 no.4, 2018, pp.263-266.

13)Bambery B, Selgelid M, Weijer C, et al. "Ethical criteria for human challenge studies in infectious diseases. Public Health Ethics, vol.9 no.1, 2016, pp.92-103.

14)Darton TC, Blohmke CJ, Moorthy VS, et al. "Design, recruitment, and microbiological considerations in human challenge studies", The Lancet infectious diseases, vol.15 no.7, 2015, pp.840-851.

15)"Controlled Human Infection Model Studies", https://acmedsci.ac.uk/file-download/55062331. Accessed Aug 21, 2020

16)WHO "Human Challenge Trials for Vaccine Development: regulatory considerations", https://www.who.int/biologicals/expert_committee/Human_challenge_Trials_IK_final.pdf. Accessed Aug 21, 2020

17)"Fauci says human challenge trials not ethically justified, experts disagree", https://health.economictimes.indiatimes.com/news/diagnostics/fauci-says-human-challenge-trials-not-ethically-justified-experts-disagree/77284682. Accessed Aug 22, 2020

18)"Statement on Human Challenge Studies for COVID-19 Vaccine Development", https://www.avac.org/blog/statement-human-challenge-studies-covid. Accessed Aug 12, 2020

19)"Microbial Challenge Studies of Human Volunteers", https://acmedsci.ac.uk/file-download/34726-1127728424.pdf Accessed Aug 23, 2020

코로나19 시대에 생각해 보는 교육

이승희
서울의대 의학교육학 교수

1. 들어가는 글

2021년 3월 현재, 코로나19 사태는 2년째 이어지고 있다. 작년 초, 코로나19가 세상에 알려졌을 때 코로나19(COVID-19)라고 명명되지도 않았을 뿐더러 중국의 한 도시에서 발생한 소위 '우한코로나' 정도로 여겨졌다. 현 시점, 그 코로나 사태, 즉 코로나19는 팬데믹(pandemic)으로 악화되어 있다.

우리나라는 코로나19에 대한 초기 방역에서 중점적인 대책으로 소위 'K-방역'으로 불리는 추적조사를 시행하였다. 이러한 대책은 개인의 기본권 침해 논란에도 불구하고 초기에 전세계적인 모범사례로 평가되었다.

그러나 코로나19가 팬데믹으로 악화되었고 빠른 시일 내에 종식될 것으로 기대하기 어려운 형편에 놓여 있는지라 방역 대책에 대해 옳고 그름을 논하기보다 사회의 각 영역별로 코로나19가 미치는

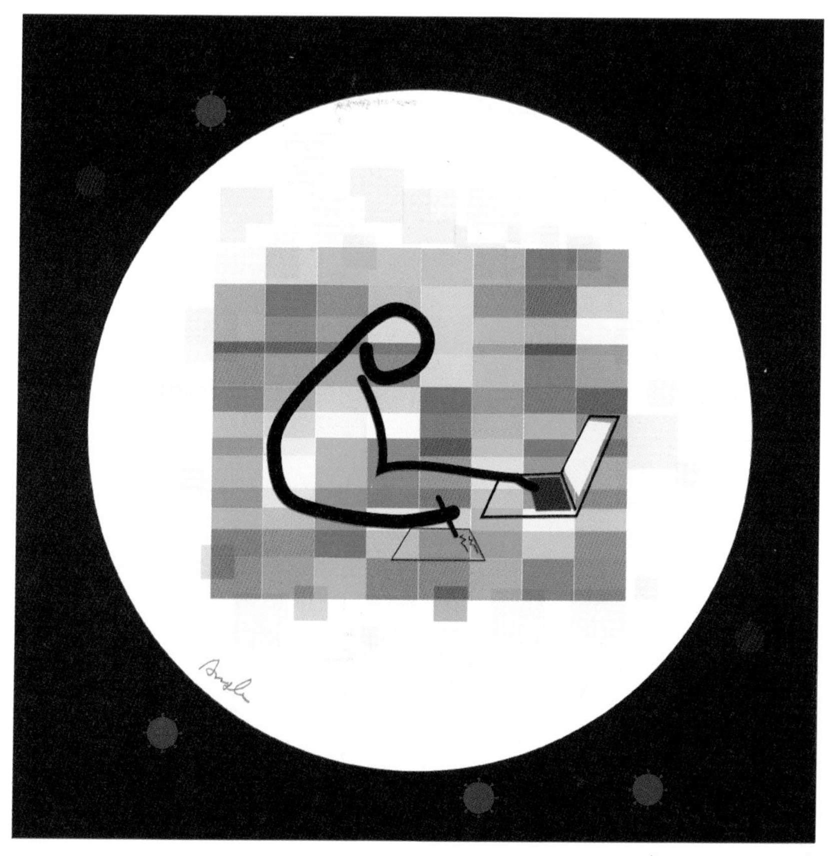

〈Veritas lux mea〉

코로나19 시대가 되어 비대면 교육을 원활하게 진행하기는 어려워졌지만, 온라인 교육이 활성화되어, 다양한 종류의 필요한 지식을 온라인 교육으로 습득할 수 있음을 다양한 색의 배경으로 컴퓨터에 집중하면서 공부하고 있는 사람의 형상으로 표현하였다.

영향이 무엇이고, 향후 무엇을 해야 하는지에 대한 검토가 더 절실해지고 있다.

흔히 교육은 '백년대계'라 하고 있다. 평상시에도 이러할진대 코로나로 인한 팬데믹 시대에 교육은 다른 어떤 문제보다 중요한 문제로 부각되고 있다. 여기서는 코로나 시대에 나타난 교육 문제를 살펴보고, 교육에 있어 코로나가 종식된 이후에 어떤 대비가 필요한지 생각해 보기로 한다.

1. 코로나19 시대에 두드러진 현상

가. 변혁적 사회상

'변혁적'이라는 용어는 과거와 현재의 예상을 뛰어넘는 변화를 의미한다. 코로나19로 인한 사회의 변화를 가히 변혁적이라고 표현할 수 있을 것이다. 개인, 가족, 소집단 사회, 대집단 사회, 국가, 세계 등 어느 수준에서도 코로나19는 변혁을 불러오고 있다. 변혁이라는 현상은 가치적 판단의 대상이 아니라 단지 양태일 뿐이다. 변혁을 가치적 판단으로 보면 위기와 기회로 나눌 수 있을 것이다.

코로나19 사태 속에서 위기의 입장에서 보면, 가장 먼저 눈에 띄는 것 중의 하나가 대면시스템에 의존하는 소상공인의 위기이다. 식당 등 대부분의 소상공인은 자본적 여력이 부족할뿐더러 위기에 대응할 매뉴얼도 가지고 있지 않다.

그러나 코로나19 사태 속에서 기회를 잡은 경우도 있다. 다시 식당 등 소상공인의 예를 들면, 애초 비대면 배달시스템을 활용하고 있던 사업모델이거나 신속히 비대면 배달시스템으로 전환한 소상공인은 소위 '대박'을 치고 있다고 한다. 우리나라와 같이 ICT(정보통신기술) 선진국은 분명 위기보다 기회가 더 많을 수 있다.

이러한 변혁적 사회상에서 위기와 기회 사이에서 기회를 잡는 저변에는 교육이라는 요소가 있음을 인식할 필요가 있다. 시대의 변화를 수용할 수 있는 능력, 첨단기술을 수용할 수 있는 능력 등은 모두 교육에서 비롯되는 것이기 때문이다.

나. 기본권과 교육

존 로커가 주장한 소유권(자유권, 생명권, 재산권)은 기본권 중의 기본권이다. 기본권은 불변의 권리가 아니라 시대에 따라 변한다. 현대사회에서는 경제적 기본권과 사회적 기본권이 크게 강화되어 있다. 우리 헌법도 이를 반영하고 있다.

우리 헌법이 보장하고 있는 기본권 중의 기본권이라고 할 수 있는 것으로 교육권이 있다. 우리 헌법 제31조는 교육권을 천명하고 있다. 교육권은 경제적 기본권, 사회적 기본권 등과 밀접한 관계를 가지고 있다. 한 개인이 교육권을 가지지 못하면 인간의 존엄과 가치를 보장받기 어려울 수 있다.

교육권은 정규교육(formal education)뿐만 아니라 비정규교육(non-formal education)에서도 잘 작동되어야 한다. 교육권은 인간으로서의 기본소양을 위한 교육부터 고도의 전문성을 위한 교육까지 전 영역에서 적용되어야 한다. 교육권이라는 기본권은 국가권력으로부터 제공되어야 하는 것은 당연하며, 또한 개인 스스로 추구할 수 있도록 보호받아야 되는 권리이다.

다. 교육시스템의 붕괴와 또 다른 기회

코로나19 사태 속에서 공교육 시스템은 위기를 맞고 있다. 전통적으로 대면시스템에 의존하는 공교육은 코로나19 사태로 인해 등교자체가 어려운 지경에 이르다보니 교육이 불가능하거나 부실한 교육으로 이어지고 있기 때문이다.

그러나 코로나19 사태 속에서 또 다른 기회를 가지는 교육시스템이 부각되고 있다. 바로 소위 '온택트 시스템(on–tact system)'이다. 온택트 시스템에 의한 교육은 사실 공교육보다는 사교육에서 앞서 나가고 있다.

예전부터 학교 교육의 종말을 주장하는 학자들이 있었으나 지금처럼 학교 교육의 종말을 강조하는 경우도 없을 것이다. 일견 코로나19 사태를 대응하는 능력 면에서 사교육이 공교육을 앞서 나가는 것처럼 보일 수도 있다.

코로나19 사태는 전통적인 대면시스템에 의한 공교육 모델을 보완하거나 대체하는 시스템의 등장을 재촉하고 있다. 분명한 사실은 위기를 극복하고 기회를 잡을 수 있게 하는 가장 중요한 수단 중의 하나가 교육이라는 것이다.

3. 포스트코로나 시대를 대비한 교육

코로나19 사태는 학벌보다는 능력과 실력이 우선시 되는 시대를 앞당기고 있는 듯하다. 특히, ICT 분야에서는 이미 능력과 실력이 출중하면 학벌보다 더 대접받고 있다.

코로나19 사태는 이러한 시대적 흐름을 사회의 전 영역으로 더 빨리 확대시킬 것으로 전망된다.

그러면 정규교육에서건 비정규교육에서건 역량을 향상시키는 데 효과적인 교육시스템이 무엇인지 생각하는 것이 절실해지고 있다. 교육이라는 것은 워낙 복잡하고 많은 요소들의 영향을 받고 있기 때문에 딱히 어느 하나의 시스템으로 해결할 수 있는 것은 아니다.

여기서 한 가지 짚고 넘어가야 할 것이 있다. 코로나19 사태 속에서 다른 분야에서도 마찬가지이겠지만 교육 분야에서 양극화 현상이 매우 심각하다는 점이다. 즉, 온라인 교육 여건이 양호한 계층, 소집단에 의한 멘토-멘티 교육시스템에의 접근이 가능한 계층 등은 그러한 여건을 가지지 못한 계층에 비해 위기 속에서도 훨씬 더 유리한 입장을 가지는 것으로 확인되고 있다. 국가에 의한 공교육 시스템이 개인에 의한 사교육 시스템을 따라가지 못하고 있기 때문이다. 국가는 이러한 점을 명심하고 포스트코로나 시대의 교육을 대비해야 할 것이다.

(2021. 4. 28)

코로나19 팬데믹과 의학 교육

임재준
서울의대 의학교육실장

코로나 바이러스-19(이하 코로나19) 감염자가 세계적으로 천 만 명이 넘었고, 사망자 숫자도 50만 명을 넘어섰다. 감염은 남반구로도 번져 브라질, 칠레, 페루 등의 환자수가 급격히 증가하고 있다. 우리나라에서는 2020년 1월 20일 첫 환자가 진단되었는데, 방역에 성공했다고 평가받지만 지금까지 확진된 사람 수는 12,000명이 훌쩍 넘는다.

코로나19와 서울대학교 의과대학의 대응

마땅한 치료제와 백신이 없는 상황에서 코로나19 확산을 막기 위한 방법 중 가장 중요한 것은 손 씻기와 마스크 착용 등의 개인위생과 '사회적 거리두기'이다. WHO는 '사회적 거리두기'의 일환으로 휴교를 권고한다.

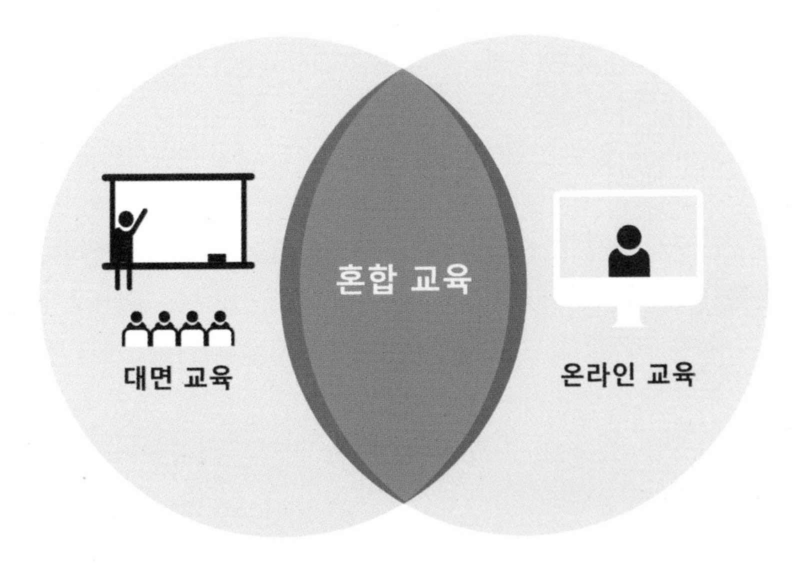

〈Blended learning〉

코로나19 팬데믹 상황에서의 교육에 대한 글로, 임재준 선생님께서 디자인을 제안하셨던 그림이다. 전체의 형식을 유지하는 선에서 대면 수업과 온라인 수업의 차이가 명확하게 드러날 수 있도록 그림을 다듬었으며, 혼합 교육이라는 메세지가 드러나도록 투명도를 조절하여 여러 개의 원이 섞이는 느낌을 주었다.

지난 2월 중순부터 대구 경북 지역을 중심으로 코로나19 환자가 급격히 증가하자 우리 정부는 2월 23일 감염병 위기 경보를 최상위인 '심각'으로 격상하였다. 이에 따라 서울대학교 의과대학은 2월 24일부터 학사 일정을 전면 중단하였다. 당시 의학과 2, 3, 4학년은 이미 개강하여 수업에 참여하는 중이었다.

우리나라보다 늦게 감염이 시작되어 시기는 달랐지만, 미국 의과대학들의 대응도 비슷했다. 미국 의과대학협의회(Association of American Medical Colleges)는 3월 17일 미국 전역의 의과대학들에게 학생들과 환자의 접촉을 즉시, 그리고 최소 2주 동안 중단하라고 강력히 권고했다. 이런 결정의 배경은 ①2주일 동안 의과대학들이 코로나19에 대한 최신 지식을 바탕으로 임상실습에 복귀할 수 있도록 교육할 수 있는 프로그램을 마련하고, ②학생들로 인한 개인보호구의 사용을 최소화하자는 것이었다.

사태가 장기화될 것으로 판단한 서울대학교 의과대학은 학사 일정이 전면 중단된 후 비대면 수업을 위한 동영상 강의 준비를 서둘러 시작하였다. 스튜디오에서 강의를 녹화하거나 강의용 슬라이드에 음성을 추가하는 방법으로 강의 영상을 마련하여 서울대학교 eTL(e-Teaching & Learning) 시스템을 통해 학생들에게 제공하고, 상호작용이 필수적인 수업은 Zoom을 이용한 실시간 화상 강의로 진행하기로 했다.

3월 16일부터 비대면 수업을 통해 의예과 및 의학과 모든 학년의 학사 일정이 재개되었는데, 해부학, 생리학 등 기초의학 교과목의 실습수업 및 병원에서 이루어지는 임상 실습은 일단 더 미루어졌다. 4월 17일, 의학과 2학년 학생들을 대상으로 첫 번째 시험이 진행되었다. 감염의 위험성을 최소화하기 위해 146명 정도의 학생이 네 군데 강의실에 흩어져서 충분한 거리를 유지하고 마스크를 착용한 채 시험을 치렀으며, 시험 전 문진표를 작성하고 체온을 측정한 후 시험 장소에 입장하도록 조치하였다.

5월 4일부터는 기초의학 실습 및 임상의학 실습을 재개하였는데, 기초의학 실습의 경우 학생들을 3분의 1씩 나누어 진행하기로 결정하고 실습 내용을 상당 부분 축소하고, 감염 예방을 위한 몇 가지 조치를 취하였다.

우선, 의과대학 모든 건물 및 실습병원에 입장할 때 문진표를 작성하고 체온을 측정하도록 하였으며, 학교 안에서는 반드시 마스크를 착용하도록 했다.

또한 도서관은 폐쇄하였으며, 학생 사이의 충분한 거리를 확보하기 어려운 CBT (computer-based test)실은 좌석 사이에 아크릴 판을 설치하여 감염의 위험성을 낮추고자 했다.

수업 방식 변경에 따른 학생들의 성취도 및 만족도

서울대학교가 운영하는 eTL 시스템은 개별 학생들이 얼마나 강의 동영상을 시청하는지 파악할 수 있는 장점이 있다. 출석을 해야만 최종 학점을 부여하는 과목의 경우 거의 모든 학생들이 모든 강의를 시청하였으나, 출석을 학점에 반영하지 않는 경우는 학년별로 시청률이 달랐다. 의학과 1학년의 경우 95%가 넘는 시청률을 보였지만, 의학과 2학년의 경우 70~85% 정도로 파악되었다. 출석을 반영하는 과목의 경우 학생들이 강의 동영상을 작동시키고도 실제로 시청을 하지 않을 수도 있으므로, 촬영한 동영상을 제공하는 형식의 비대면 수업의 시청률은 70~80% 정도인 것으로 이해하는 것이 타당하다.

한편 비대면 수업에 대한 학생들의 만족도는 예상보다 좋았다. 의학과 1학년 기초의학 과목의 경우 오프라인 강의에 비해 온라인 강의를 선호한다는 의견이 60%를 넘었다(약간 선호 40%, 매우 선호 24.4%). 온라인 강의 방식 중에서는 80% 이상의 학생들이 사전 촬영하여 제공하는 방식을 훨씬 선호했는데, Zoom을 이용한 실시간 강의가 낫다고 응답한 학생은 6~7%에 불과했다. 강의에 대한 만족도를 2019년에 같은 과목을 수강한 학생들과 비교해보았는데, '전반적 만족도', '명확한 교육목표 제시', '강의 간 유기적 연계', '강의분량의 적절성' 등 모든 척도에서 더 나았다.

학생들이 온라인 수업을 더 선호하는 이유는 크게 2가지였는데 ①동영상 수업을 시청하다가 정확하게 이해하지 못하는 내용이 있으면 되돌려보거나 잠시 멈추고 다른 자료를 찾아보며 학습할 수 있다는 점과 ②학생들이 원하는 시간과 원하는 장소에서 편안히 시청할 수 있다는 점이었다.

그렇지만 비대면 수업을 진행한 교수들의 의견은 학생들과 많이 달랐다. 온라인 강의가 오프라인 강의보다 낫다는 의견은 13.6%에 불과했고, 온라인 강의 중에서는 실시간 강의를 훨씬 선호했는데 (61.3%), 이 경향도 학생들과는 반대였다.

학생들의 성취도는 시험 성적을 2019년과 비교하는 것으로 파악했다. 대부분의 과목 성적이 2019년과 차이가 없었는데, 다른 기초의학 과목과는 달리 해부학 성적만 2019년보다 2020년이 조금 낮은 경향을 보였다. 이는 감염 가능성을 최소화하기 위해 3분의 1로

나누어 실습을 진행하느라 한 학생당 실습 시간이 줄어든 것이 해부학 성취도에는 부정적으로 작용하였기 때문일 가능성이 높다.

포스트 코로나 시대의 의학교육

마땅한 치료제와 백신이 없는 상황이라 비대면 수업은 최소한 2020년 2학기까지는 지속되어야 하고, 2021년까지 연장해야 할 가능성도 있다. 이를 감안하면 비대면 수업을 효율적으로 진행할 수 있는 방안의 도입이 필수적이다.

전문가들은 혼합교육(blended learning)의 필요성을 다시 한 번 강조하는데, 이는 온라인 학습과 오프라인 교육의 적절한 조화를 통해 수업 효과를 향상시키는 것을 목표로 하는 교육법이다. 간단히 설명하면, 교육자가 직접 촬영한 동영상이나 실시간 화상강의와 인터넷에서 찾을 수 있는 자료 등을 제시하여 학생들이 각자 미리 공부한 후 직접 만나 토론, 발표, 질의응답 등 상호작용을 통한 배움의 강화를 추구하는 것이다.

효과적인 혼합 교육을 위해서는 교육자가 온라인 학습을 위한 유용한 자료들을 제시하고 학생들과 토론하거나 피드백을 제공할 수 있는 적절한 플랫폼을 제공하는 것이 매우 중요한데, 이런 과정을 '큐레이팅 (curating)'이라고 표현하기도 한다. 의학의 경우 활용할 수 있는 온라인 자료들이 많아 학생들에게 도움이 될 수 있는 자료를 선정하는 큐레이팅이 더 중요하다.

2016년에 출판된 Liu Q 등의 메타 분석에 따르면, 의료인에 대한 교육의 경우 혼합교육은 온라인 교육이나 대면 교육으로만 이루어진 교육에 비해 지식 획득을 80%나 높일 수 있었다.

이렇게 혼합교육의 효과에 대한 증거들, 의학 분야 온라인 자료의 다양함, 대면 수업 시간을 줄여 코로나19를 포함한 신종 감염병 전파 확률을 줄일 수 있다는 점을 고려하면, 앞으로 혼합교육이 의학교육에서 적극적으로 활용되어야 한다. 이를 위해서는 다양한 형태의 혼합교육의 개발, 온라인 피드백과 토론을 위한 적절한 플랫폼 구성, 교수법 교육 등에 대한 적극적인 투자가 필요하다.

혼합교육을 바탕으로 증명된 효과에도 불구하고 충분히 도입되지 않았던 역진행 학습(flipped learning), 팀 기반 학습(team-based learning), 증례 기반 학습(case-based learning) 등을 활성화할 수 있다면 코로나19 팬데믹을 좀 더 효과적인 학습 체계를 갖추는 좋은 기회로 활용할 수 있을 것이다.

(2020. 7. 1)

부록

■ 서울의대 코로나19 과학위원회의 구성과 활동

서울의대 코로나19 과학위원회

1. 위원회 구성

(1) 위원장

강대희 서울의대 예방의학

(2) 위원

강대희 서울의대 예방의학
김윤 서울의대 의료관리학
한서경 서울의대 예방의학
신애선 서울의대 예방의학
김홍빈 서울의대 내과학
임재준 서울의대 내과학
이진용 건강보험심사평가원 심사평가연구소
박완범 서울의대 내과학
정재용 분당서울대학교병원 임상약리학
최지엽 서울의대 예방의학
박경운 서울의대 검사의학
방지환 보라매병원 감염내과
오주연 서울의대 대외협력실

(3)고문위원

이종구 서울의대 가정의학
오명돈 서울의대 내과학

(4) 외부위원

이철우 국제백신연구소
고광필 분당서울대학교병원 공공의료사업단
탁상우 서울대학교 보건대학원

김성민 충남의대 감염내과
조용균 가천의대 감염내과
임재균 명지병원 진단검사의학과
신경철 영남대병원 호흡기-알레르기 내과
이관 동국의대 예방의학
김진용 인천의료원 감염내과

(5) 외부자문위원
이왕준 명지병원 이사장
정호영 경북대병원장
김성호 영남대병원장
이승준 강원대병원장
조치흠 (전)계명대병원장 (현)계명대 동산병원 산부인과
윤환중 충남대병원장
조승연 인천의료원장
신명근 화순전남대병원장

(6) 실무위원
문성지 서울의대 예방의학 전공의(2020)
장윤영 서울의대 예방의학 전공의(2020)
최윤정 서울의대 예방의학 전공의
이소혜 서울의대 예방의학 전공의
홍동의 서울의대 예방의학 전공의
민석홍 서울의대 예방의학 전공의
박혜리 서울의대 예방의학 전공의
이효정 서울의대 예방의학 전공의
박주용 서울의대 의과학과 석박통합과정
한아름 서울의대 의료정보학 협동과정 석박통합과정
이윤정 이종욱글로벌의학센터

2. 목적

(1) 목적

코로나19 감염과 관련한 객관적이고 정확한 정보를 대중들에게 전달하고 전문적 내용에 대해 학계 내외에서 소통하고 환류하기 위함.

(2) 필요성

코로나19는 SARS-CoV-2에 의해 발생하는 급성 호흡기질환으로 지난 2019년 12월 12일 중국 우한에서 최초 보고되었음. 첫 환자는 12월 1일 중국 후베이 성 우한에서 발생한 것으로 알려졌으며 폐렴 양상을 보임. 국내에는 2020년 1월 20일 첫 우한 폐렴 확진자가 발생함.

근거 없는 뉴스가 SNS, 유튜브 등의 공신력이 부족한 매체를 통해 확산되면서 위험 언론에서는 이를 자극적으로 보도하기도 함. 질병관리본부에서 투명한 정보 공개로 이는 완화되기도 하였지만, 정부 밖의 학계에서도 위험 소통(risk communication)을 적극적으로 할 필요가 있음.

미국 존스홉킨스 보건대학원 및 의과대학, 미국 하버드 의과대학, 싱가포르의 Duke-NUS 의과대학 등 해외 유수 의과대학 및 보건대학원에서는 코로나19에 대한 홈페이지를 신속하게 열고 활발하게 운영 중임. 싱가포르의 Duke-NUS 의과대학의 경우 코로나19와 관련하여 소속 연구자들의 활동을 소개하고 웹세미나를 개최함.

국내 코로나19 사망률을 외국의 사망률과 그대로 비교하는 것은 연령에 따른 사망위험을 고려하지 않는 것이므로, 성별, 연령을 보정한 발생률 및 사망률 비교가 필요함. 4월 초 당시까지만 해도 국내에서 발표한 논문들에서 연령, 보정 발생률 또는 사망률 등 기술통계에 대한 연구가 체계적으로 제시되지 않았고 언론에서는 이러한 보정 사망률에 대한 고려 없이 국가별 확진자수, 사망자수를 보도했기 때문에 이에 대한 연구와 대중적 소통이 필요함.

(3) 연구목표

서울의대 코로나19 과학위원회는 서울의대 홈페이지를 플랫폼으로 하여 과학적인 근거에 기반을 둔 코로나19에 대한 정보를 제공하는 것을 목표로 함.

3. 활동

–서울의대 코로나19 과학위원회는 서울의대 홈페이지에 코로나19 과학위원회 사이트를 열었으며 정기적으로 정보를 업데이트하고 서울대학교 구성원들에게 보다 적극적으로 다가가기 위한 방안들을 모색함.

–서울의대 홈페이지에 코로나19 과학위원회 사이트
(URL:http://medicine.snu.ac.kr/en/node/25377).

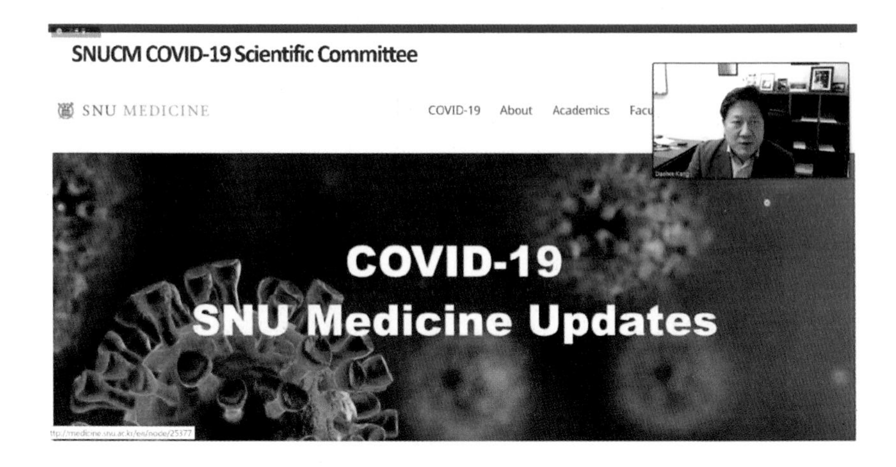

(1) 통계

-각 파트 별로 주마다 1회에서 2회 통계 자료 게시
-초기에는 제목과 내용 모두 영문으로 작성했으나, 접근성을 위해 한글로 변경

가. 확진자 수 및 발생 추이 보고
-보고 기간

기간 (2020년)	04.06~06.30	07.08~09.29	10.13~
대상지역	서울, 인천, 경기도, 대구, 경상북도	서울, 인천, 경기도	서울, 인천, 경기도, 대전, 광주
게재 형태	영문	한글	한글

-내용 : 주요 사건에 따른 일일 확진자 발생 추이, 누적 확진자 수, 인구 대비 누적 확진자 및 사망자 수
-자료원 : 질병관리청 보도 자료, 각 지자체 홈페이지
-업데이트 방식 : 0시 기준 각 지자체 홈페이지와 질병관리청의 보도 자료의 확

진자 누계를 비교 후 연번 중복으로 인한 차이를 고려하여 그래프 작성

–게재 형태는 아래와 같음.

① 주요 사건에 따른 일일 확진자 발생 추이

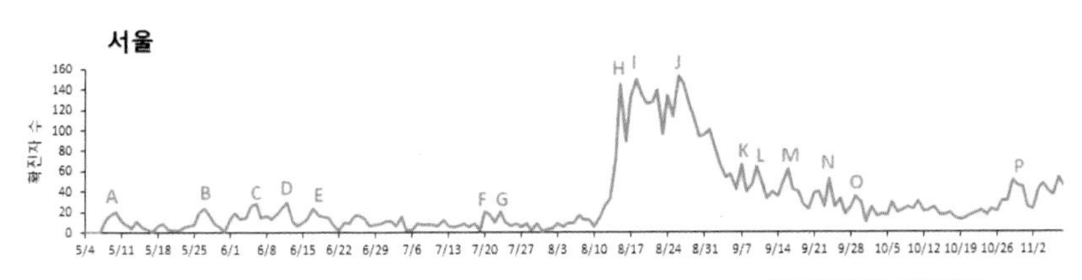

감염원:

A 이태원 클럽
B 이태원 클럽, 부천 쿠팡물류센터
C 교회 관련, 리치웨이, 탁구 클럽
D,E 리치웨이, 도봉구 성심데이케어센터
F 강서구 요양시설 관련
G 송파구 교회관련
H,I 성북구 사랑제일교회
J 성북구 사랑제일교회, 용인시 우리제일교회, 8.15. 광화문집회
K 영등포구 일련정종 포교소
L 신촌 세브란스병원 관련
M 신촌 세브란스병원 관련, 강남구 k보건산업
N 도봉구 예마루데이케어센터, 관악구 사랑나무 어린이집, 동대문구 성경모임
O 도봉구 다나병원
P강남구 럭키사우나 관련, 강남구 헬스장 관련

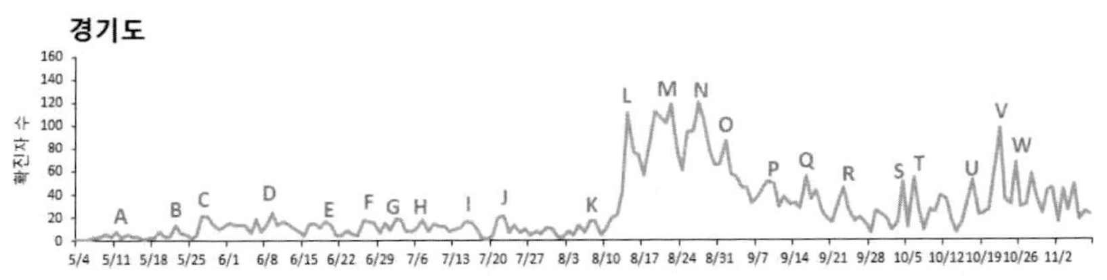

감염원:

A,B 이태원 클럽
C 부천 쿠팡물류센터
D 교회 관련, 리치웨이
E 의왕 롯데제과 물류센터
F 교회관련
G 의정부 아파트, 해외 유입
H 수원 교인모임, 해외 유입
I 수도권 방문판매, 해외 유입
J 강남구 사무실, 포천 군부대, 해외유입
K 고양 기쁨153교회, 고양 반석교회
L 용인 우리제일교회, 서울 성북구 사랑제일교회, 파주 커피전문점, 양평 마을잔치
M,N 용인 우리제일교회, 서울 성북구 사랑제일교회, 8.15. 광화문집회
O 교회관련
P 수도권온라인 산악카페모임, 안산시 가족/지인 , 부천 다단계, 이천시 노인주간보호센터
Q 광명 기아자동차, 부천 남부교회, 성남 서호주간센터
R 고양 박애원, 신촌 세브란스, 이천 노인주간보호센터
S 포천 군부대
T 의정부 마스터플러스 병원
U 광주시 재활병원
V 광주시 재활병원, 남양주 행복해요양원 ,남천병원/어르신 세상주간보호센터, 양주섬유회사
W 여주 라파엘의집

② 인구 대비 누적 확진자 및 사망자 수

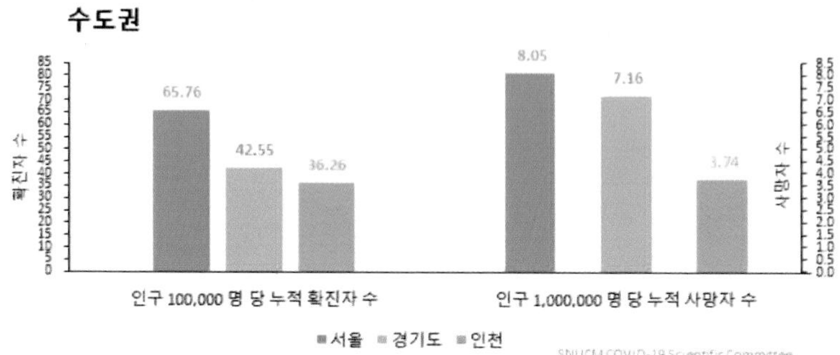

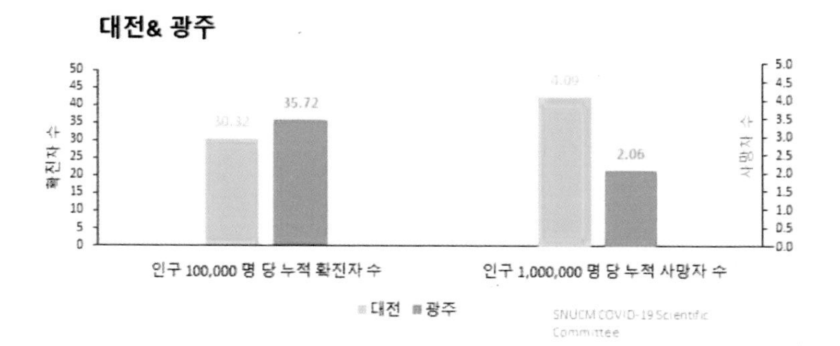

나. 감염경로에 따른 확진자 추이 보고

–보고 기간

기간 (2020년)	04.21~07.03	07.10~08.29	09.07~
대상지역	서울, 인천, 경기도, 대구, 경상북도	서울, 인천, 경기도	서울, 인천, 경기도, 대전, 광주, 대구, 경상북도
게재 형태	영문	한글	한글

–내용 : 감염경로 구분에 따른 날짜별 누적 확진자 수 추이, 감염경로 구분에 따른 누적 확진자 수 분포 변화

–자료원 : 질병관리청 보도 자료

-업데이트 방식 : 질병관리청 정례브리핑 자료의 감염경로 구분에 따른 확진자 수를 참고하여 분포를 계산 후 확진자 수와 분포를 그래프로 작성

-게재 형태는 아래와 같음.

다. 중증도별 환자 수 보고

-보고 기간

기간 (2020년)	05.08~06.23	07.03~
업로드 위치	Clinical Information	Statistics
게재 형태	영문	영문, 한글

-내용 : 일일 확진자 수, 사망자 수 및 중증도별 환자 수

-자료원 : 질병관리청 보도 자료

-업데이트 방식 : 질병관리청 정례브리핑 자료의 위중증 환자와 사망자 구분 등을 참고하여 그래프 작성

-게재 형태는 아래와 같음.

10.18. 중증, 위중 환자를 위중증 환자 수로 합산

● 전국 일일 확진자수, 사망자수 및 중증도별 환자수 추이 (2021.5.24 기준)

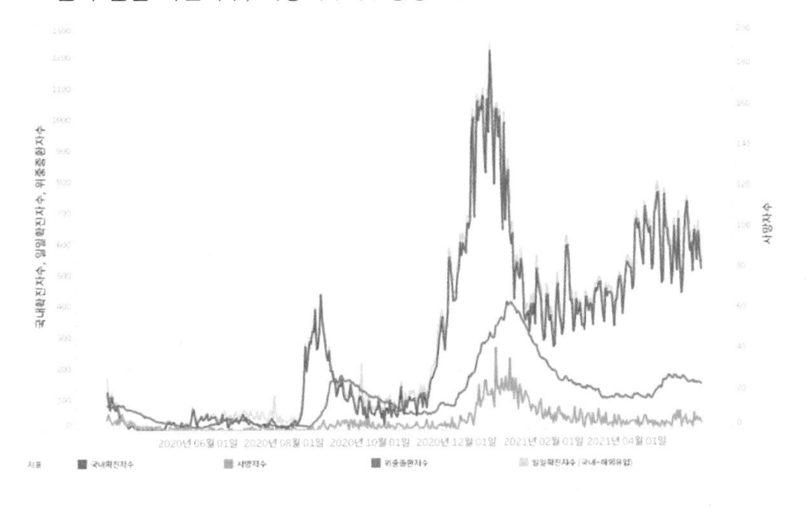

라. Clinical Information

-보고 기간

기간 (2020년)	04.07~04.13	04.14~06.30
내용	Clinical Severity	Severity Profile of Patients with COVID-19
게재 형태	영문	영문

-내용 : Severity Profile of Patients with COVID-19 at several hospitals

-자료원 : 병원 임상 자료 (인천의료원, 서울대학교 병원: 본원, 분당, 보라매, 강원대병원, 가천길병원, 충남대병원)

-업데이트 방식 : 데이터 제공에 협조해 준 병원의 임상 자료를 활용해 Clinical Severity와 Clinical Symptoms로 나누어 자료 작성. 13일 이후부터는 데이터를 제공하는 병원이 증가해 다양한 자료를 여러 주제로 나누어 그래프로 제시함.

13일 이후 자료 주제	자료 출처
Clinical Severity	강원대병원, 가천길병원
Clinical Symptoms	인천, 충남대병원, 강원대병원, 가천길병원
Age and gender profile	인천, 충남대병원, 강원대병원, 가천길병원
Source of transmission	강원대병원, 가천길병원
Smoking status	강원대병원, 가천길병원

-임상 데이터의 수집 목표는 코로나19 상황에 맞추어 임상 전문가가 궁금해하는 중증도의 분포 및 각 병원별 상황을 제시하는 것이었기 때문에 4월 28일부터 자료를 제공해 준 병원의 데이터를 합해서 제시하기 시작함.

-게재 형태는 아래와 같음.

① 04.07. Clinical Severity / Clinical Symptoms (예시: 인천의료원)

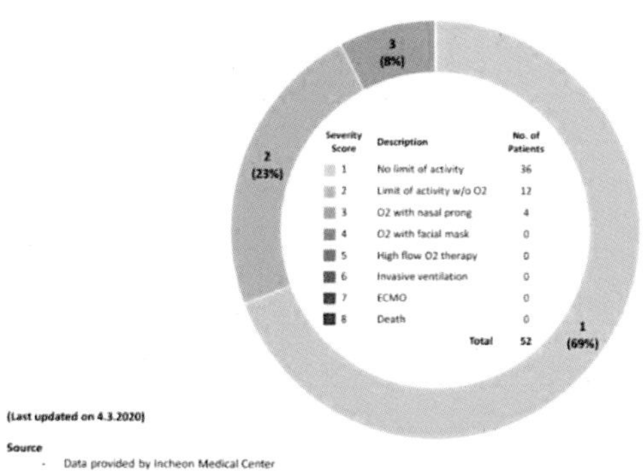

Severity Profile of Patients with COVID-19 at Incheon Medical Center (%)

3 (8%)

2 (23%)

1 (69%)

Severity Score	Description	No. of Patients
1	No limit of activity	36
2	Limit of activity w/o O2	12
3	O2 with nasal prong	4
4	O2 with facial mask	0
5	High flow O2 therapy	0
6	Invasive ventilation	0
7	ECMO	0
8	Death	0
	Total	52

(Last updated on 4.3.2020)

Source

- Data provided by Incheon Medical Center

② 04.28. 병원 데이터 통합 제시

Summary of Severity Profile of Patients with COVID-19 (%)

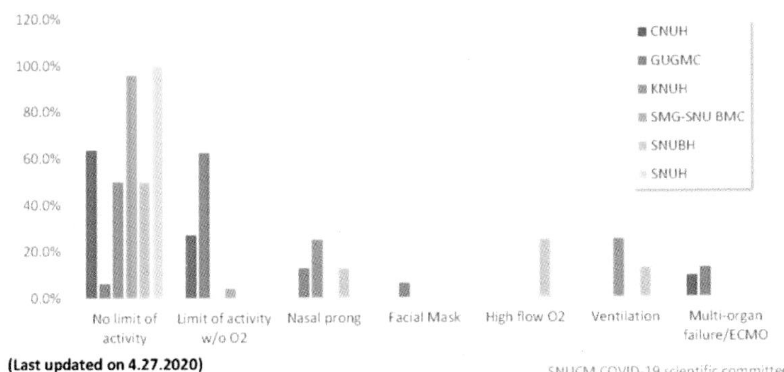

Source

- Data provided by CNUH, GUGMC, KNUH, SMG-SNU BMC, SNUBH, SNUH clinical data

–한계: 병원별로 제공한 데이터에 차이가 있고, 각 병원 고유의 임상 데이터이기 때문에 통합 제시가 어려움.

–Clinical information의 제시로 각 시기별 outbreak이 가지는 특징에 따라 각 병원 환자군의 중증도 변화를 가시적으로 제시할 수 있었으나, 단면적인 상황만을 보여주므로 본래 의도를 잘 살리지 못하고 있다는 판단 하에 6월 30일에 마지막 업로드 후 종료.

2) 역학

가. 연령표준화 발생률, 사망률, 치명률

–연령대별 확진자수와 사망자수를 공개하는 나라에 한해 연령표준화 발생률, 사망률, 치명률을 계산하여 업로드 하고 있음.

–초기에는 우리나라보다 확진자수가 많은 나라에 한해 제시

하였음

–2020년 4월 17일부터 치명률 자료도 업로드하였음.

–점차 나라의 수를 늘려 66개 국가의 자료를 업로드하였음.

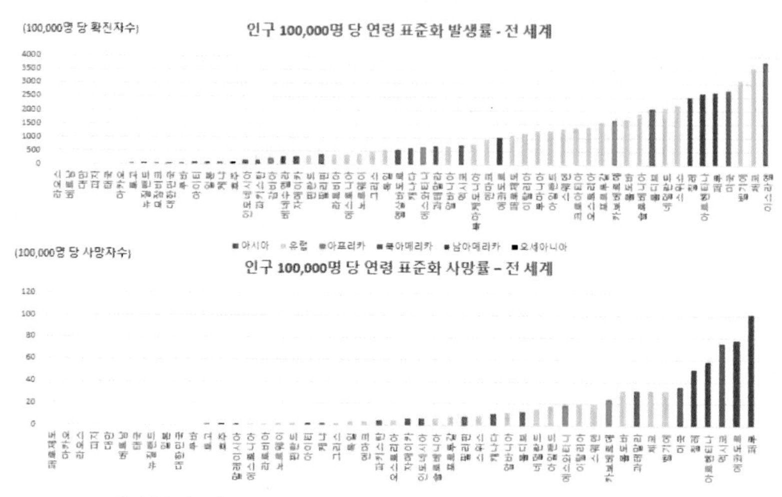

〈전 국가 비교, 2020-11-06, 연령표준화 발생률과 치명률〉

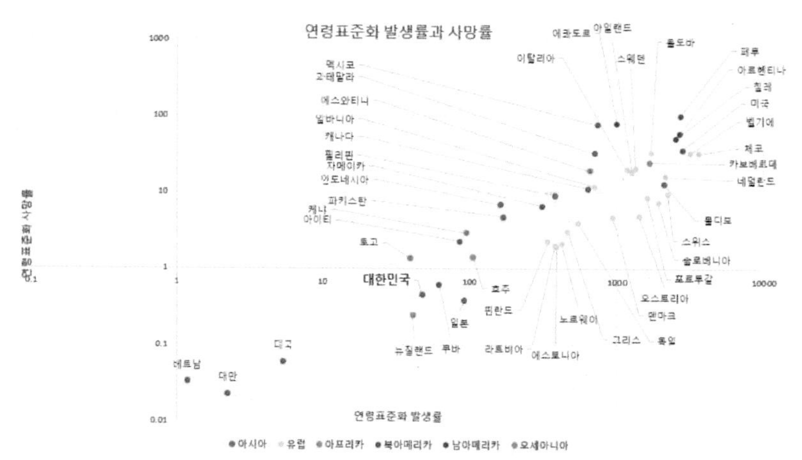

〈전 국가 비교, 2020-11-06, 연령표준화 발생률과 사망률〉

3) 진단/검사/백신/치료제

-코로나19 과학위원회 웹페이지에 진단 검사, 백신, 치료제에 대한 전문가 기고를 게재하였음.

https://medicine.snu.ac.kr/en/node/25377

-진단 검사 분야 전문가 기고문 현황

https://medicine.snu.ac.kr/en/board/Diagnostics

날짜	제목	저자	소속
2020-04-06	COVID-19 Diagnostics Tests	박경운	서울의대 코로나19 과학위원, 서울의대 검사의학
2020-04-13	COVID-19 Serological Diagnostic Test	박경운	서울의대 코로나19 과학위원, 서울의대 검사의학
2020-04-17	COVID-19 Rapid Diagnostic Tests	박경운	서울의대 코로나19 과학위원, 서울의대 검사의학
2020-04-24	COVID-19 Pooled Molecular Diagnostic Tests	박경운	서울의대 코로나19 과학위원, 서울의대 검사의학
2020-05-08	COVID-10 Serological Diagnostic Tests 2	박경운	서울의대 코로나19 과학위원, 서울의대 검사의학
2020-05-15	COVID-19 Antigen Diagnostic Tests	박경운	서울의대 코로나19 과학위원, 서울의대 검사의학

-백신 및 치료제 분야 전문가 기고문 현황

https://medicine.snu.ac.kr/en/board/Vaccine

날짜	제목	저자	소속
2020-04-06	COVID-19 Vaccine	이철우	서울의대 코로나19 과학위원회 외부위원, 국제 백신 연구소
2020-04-06	코로나 치료제 현황 조사	정재용	서울의대 코로나19 과학위원, 분당서울대학교병원 임상약리학
2020-04-13	COVID-19 Vaccines : 코로나 19 백신 임상시험 현황	이철우	서울의대 코로나19 과학위원회 외부위원, 국제 백신 연구소
2020-04-13	COVID-19 Therapeutics : [Remdesivir]- Gilead Sciences	정재용	서울의대 코로나19 과학위원, 분당서울대학교병원 임상약리학
2020-04-28	COVID-19 Vaccine 개발 현황 리뷰	정재용	서울의대 코로나19 과학위원, 분당서울대학교병원 임상약리학
2020-05-15	코로나 치료제 및 백신 임상시험 현황	정재용	서울의대 코로나19 과학위원, 분당서울대학교병원 임상약리학
2020-06-02	코로나-19 치료제 렘데시비어 임상 시험 결과	오명돈	서울의대 코로나19 고문위원, 서울대학교병원 감염내과

4) 연구동향

가. 홈페이지에 연구동향을 업데이트함.

5) 뉴스레터

가. 개요

-코로나19 전문가 기고와 코로나19 과학위원회 통계 및 역학

-뉴스레터는 연건, 관악 캠퍼스 통합 4만 여명에게 아래와 같이 12회에 걸쳐 발송되었으며 병원 출입 기자들에게도 배포되었음.

나. 뉴스레터 구성

-전문가기고

-코로나19 통계역학

-코로나19 연구동향

-웨비나 소개

6) 웨비나

가. 개요

-7월부터 총 7회의 온라인 웨비나를 zoom을 통해 진행하였음.

-다양한 국가에서 코로나19 전문가를 초청하여 국제적인 코로나19 형황 및 대응 사항에 대해 웨비나를 개최하였음.

나. 웨비나 일정 및 내용

① 1회차 (2020년 7월 3일), '팬데믹과 문명,' 김명자 서울국제포럼 회장

-서울의대 코로나19 과학위원회에서는 코로나 이후의 장기적으로 미래적 관점을 가지고자 첫 번째 웹 세미나(웨비나) 연자로 김명자 서울국제포럼 회장을 초청하였음.

-김명자 회장은 새로운 팬데믹에 대한 위기의식을 가진다면 가장 중요한 것은 지속가능한 발전을 향한 국제협력이라고 강조했음. 팬데믹은 인류 문명에서 늘 존재해왔고 앞으로도 반복될 수 있기에 감염병의 통제와 새로운 감염병의 출현을 예방하기 위해 글로벌 리더십이 중요하다고 거듭 강조하였음.

② 2회차 (2020년 7월 17일), '코로나19 대응을 위한 의학계의 역할,' 강대희 서울의대 예방의학교실 교수, 테오 익잉 국립싱가포르대 보건대학원 학장, 마사오미 난가쿠 동경대 의대 부학장 및 신장내분비학 과장서울의대 예방의학교실 교수, 테오 익잉 국립싱가포르대 보건대학원 학장, 마사오미 난가쿠 동경대 의대 부학장 및 신장내분비학 과장

-7월 17일 금요일 오후 4시, 서울의대 코로나19 과학위원회(이하 과학위원회)는 제2회 웨비나를 성공적으로 개최하였음. 서울의대 강대희 교수는 올해3월 말부터 서울의대 코로나19 과학위원회를 발족한 것을 소개하였음. 과학위원회는 1-2주에 한 번씩 뉴스레터를 발간하고 있으며 서울의대 예방의학교실 전공의들이 한국 질병관리본부 자료를 가공하여 통계 및 역학데이터를 제공하고 있다고 소개함. 강대희 교수는 향후 세 대학이 서로 협력해나가기 제안함.

SNU Webinar

Role of Academia in Response to COVID-19

Friday, July 17th –16:00~17:30 (Korean Time)

https://snu-ac-kr.zoom.us/j/7418464165

Schedule	Speaker	
16:00-16:25	Teo Yik Ying	Dean of the Saw Swee Hock School of Public Health, National University of Singapore
16:25-16:50	Masaomi Nangaku	Vice Dean, Professor and Head, Division of Nephrology and Endocrinology, University of Tokyo Graduate School of Medicine
16:50-17:15	Daehee Kang	Chair of the SNU the scientific committee for COVID-19, Seoul National University College of Medicine
17:15-17:30	Q & A Session	

③ 3회차 (2020년 8월 7일), '코로나와의 전쟁에서 대만의 승리 비결,' 대만 첸 치엔젠 박사 (전 부통령, 현재 대만 중앙연구소 학술위원)

-코로나19 과학위원회는 지난 8월 7일(금) 오후 4시 대만 전 부통령이자 현재 대만 중앙연구소 학술위원인 첸 치엔젠(陳建仁, Chen Chien-Jen) 박사를 초청하여 '코로나와의 전쟁'에서 대만의 승리 비결에 대한 웨비나를 개최함. 웨비나는 50분의 강연과 30분 간의 활발한 질의응답과 토론으로 이루어짐.

④ 4회차 (2020년 9월 18일), '코로나 백신 현황,' 제롬 김 국제백신연구소 사무총장

-2020년 9월 18일 서울의대 코로나19과학위원회 웨비나에서 제롬 김(Jerome H. Kim) 국제백신연구소(IVI) 사무총장

이 강연을 함.

-그는 이번 웨비나에서 SARS-CoV-2 에 대한 사람의 면역반응에 대해 설명하였으며, 코로나19 백신의 개발 현황에 대해 소개함. 여러 국가들에 걸친 형평성 있는 공급, 백신의 보관 문제, 백신접종 스케줄의 결정, 예방접종 후 이상반응의 추적관찰 등의 문제들이 산적해 있다고 설명함. 김 사무총장은 모든 것이 계획대로 진행된다면 향후 18개월 정도 이내에는 백신이 개발될 것이라고 전망했으며 아마도 적절한 가격에 형평성 있게 공급될 것이라고 예측하였음.

⑤ 5회차 (2020년 11월 6일), 'WHO와 유럽의 코로나 대응,' 정통령 보건복지부 과장 (WHO 파견)

-코로나19 과학위원회는 2020년 11월 6일 금요일 오후 4

시 세계보건기구(WHO) 정통령 기술전문관을 초청하여 WHO와 유럽의 코로나19 대응에 대한 웨비나를 진행함. 그는 현재 코로나19의 전세계적인 유행상황, 공중보건 위기 선언까지의 WHO의 초기대응 이후의 대응 체계화 과정, WHO의 영역별 활동과 성과에 대해 소개함. 현재까지 유럽국가들의 일관된 코로나19 대응 체계가 부족하고 국가별로 다소 상이한 대응을 하고 있는 것에 대해 구체적인 상황을 설명하였음.

⑥ 6회차 (2020년 11월 27일), '베트남의 코로나 대응,' 박기동 WHO 베트남 상주 대표

-2020년 11월 27일 코로나19 과학위원회는 세계보건기구(WHO) 베트남 상주대표인 박기동 대사를 초청하여 베트남

의 코로나 대응에 대해 들어보는 시간을 가짐. 박기동 대사는 2006년 국제독감프로그램을 통해 WHO에 합류하였고 WHO 제네바 본부, WHO 서태평양 지부를 거쳐 2017년 9월부터 WHO 베트남 대표를 역임하고 있음. 그는 중국과 국경을 맞대고 있으면서 인구가 많고 GDP는 낮은 나라에서 어떻게 코로나19 대응에서 좋은 성적을 거둘 수 있었던 이유로 1)초기의 강력한 대응, 2) 강력한 정부의 리더십, 3) 적극적인 위기소통을 꼽았음.

⑦ 7회차 (2020년 12월 11일), 'The role of the US CDC in response to COVID-19,' Jay Butler, Director, Deputy Director for Infectious Diseases

-코로나19 과학위원회는 2020년 마지막 웨비나로 12월 10일 미국 질병통제센터(CDC) 감염병 부국장인 제이 버틀러(Jay C. Butler)를 초청하여 웨비나를 진행하였음. 버틀러 부국장은 내과, 소아과, 예방의학과 전문의이며, 지난 30여년간 신종 전염병 통제를 포함하여 미국 보건분야의 리더로서 역할을 해왔음. 토론자로는 코로나19 이후 글로벌보건안보대사로 임명되어 활동 중인 전 질병관리본부장 이종구 서울의대 교수를 초청함. 본 웨비나를 통해 버틀러 박사는 미 CDC 의 코로나19에 대한 대응에 대해 소개하였음.

4. 성과

(1) 의학계 내 환류 및 정보 제공

현재 공개된 데이터를 중심으로 통계 및 기술역학 분석 내용을 제시함으로써 향후 연구 필요성에 대해 환류함.

진단, 백신/치료에 대한 최신 업데이트 내용을 제시하여 기초 연구, 임상 분야의 다양한 의사, 의학자들에게 체계적 정보를 제공함.

(2) 대중적 위기소통

객관적이고 과학적인 정보를 제공함으로써 대중들과 코로나19에 대해 소통함. 국민들이 흔히 궁금해 하는 질문에 대해 전문가들이 답변 제공함으로써 대중적 소통 뿐 아니라 언론에도 긍정적 영향을 미칠 수 있을 것으로 기대함.

(3) 코로나19 집단적 연구를 위한 데이터 수집

공개된 데이터를 수집하여 기초 분석을 시행하면서 향후 집단적 연구를 위한 논의를 진행함.

통계, 역학, 임상, 진단법/백신 개발의 각 분야에서 정리된 내용을 바탕으로 분야별 연구를 진행할 수 있으며, 분야 간 협업을 통해 통합적 연구를 시도함.

코로나19의 과학

전문가의 20가지 이야기

초판인쇄 2021년 6월 23일
초판발행 2021년 6월 30일

엮은이 서울의대 코로나19 과학위원회
펴낸이 이재욱
펴낸곳 (주)새로운사람들
디자인 김남호
마케팅관리 김종림

등록일 1994년 10월 27일
등록번호 제2-1825호
주소 서울 도봉구 덕릉로 54가길 25(창동 557-85, 우 01473)
전화 02)2237.3301, 2237.3316 **팩스** 02)2237.3389
이메일 ssbooks@chol.com
홈페이지 http://www.ssbooks.biz

ISBN 978-89-8120-622-2(03510)